Robert Thibaudeau

L'Affaire de la couronne

Éditions de la Paix

Gouvernement du Québec

Programme de crédit d'impôt pour l'édition de livres

Gestion SODEC

Nous remercions le Conseil des Arts du Canada de l'aide accordée à notre programme de publication.

Nous reconnaissons l'aide financière du gouvernement du Canada par l'entremise du Programme d'aide au développement de l'industrie de l'édition (PADIÉ) pour nos activités d'édition.

Robert Thibaudeau

L'Affaire de la couronnne

Collection Ados/Adultes, nº 30

Éditions de la Paix

pour la beauté des mots et des différences

Dépôt légal 3e trimestre 2005
Bibliothèque nationale du Québec
Bibliothèque nationale du Canada

Imprimé au Canada

Illustration Jean-Philippe Morin
Graphisme Éclypse Images
Révision Élise Bouthillier — Jacques Archambault

Éditions de la Paix
127, rue Lussier
Saint-Alphonse-de-Granby
Québec J0E 2A0
Téléphone et télécopieur (450) 375-4765
Courriel info@editpaix.qc.ca
Site WEB http://www.editpaix.qc.ca

Données de catalogage avant publication (Canada)

Thibaudeau, Robert, 1946-

L'affaire de la couronne

(Ados/adultes ; no 30)

Comprend un index.

ISBN 2-89599-025-5

I. Titre. II. Collection: Ados/adultes ; 30.

PS8639.H496A76 2005 C843'.6 C2005-941699-8

PS9639.H496A76 2005

À Rosie et Sylvie,
mes fidèles lectrices
pour leurs encouragements constants,
et surtout, leurs précieux commentaires.

Sans vous deux,
ce ne serait pas possible.

Un clin d'œil à Gwendolyn, aussi,
pour sa persévérance
à devenir détective.

L'Affaire de la couronne
Une enquête du Troisième Oeil.

1. Le Troisième Œil

Urbainville, lundi 11 août, 9 h 35

Louis dépose le combiné. Tout en ramenant sur ses yeux vifs et rieurs le feutre qui ne quitte jamais sa tête et qui cache la neige tombée prématurément sur ses cheveux, il se laisse aller la tête en arrière. En même temps, il croise les jambes et, avec nonchalance, il dépose les pieds sur le coin de son bureau. Il a besoin de réfléchir un moment. Avec ses manches à moitié relevées, son éternelle petite veste et son feutre ainsi posé sur le haut de son nez, je trouve qu'il a l'air d'un détective sorti tout droit d'un film américain. Ce petit air cinéma ne semble pas lui déplaire, en dépit d'un agencement de couleurs très peu dans le ton. Son apparence ne figure visiblement pas en tête de liste de ses priorités.

Pour l'instant, toute son attention est centrée sur l'appel qu'il vient de recevoir. Ce coup de fil sent le mystère à plein nez et je ne tiens pas en place. C'est plus fort que moi, je brûle de savoir ce qui se passe.

Oh ! Pardon ! Excusez-moi... C'est toujours comme ça quand une affaire s'annonce. Je veux plonger tout entière dans le feu de l'action et j'en oublie jusqu'à la plus élémentaire des politesses.

Je me présente : Suzie, alias Quiquiche, surnom que je déteste par-dessus tout et que mon père continue à employer malgré mes protestations répétées. C'est d'ailleurs à lui que je dois cette horreur, inspirée par mon appétit féroce et mon amour indéfectible pour la quiche de ma mère. Il y a eu aussi Sousoupe, puis Poupoune, quand il y a eu des poux à l'école, Jujube, quand ma dent sucrée a fait sa crise... mais oublions ça.

Dans la vie, je vais à l'école. Mais pendant mes vacances et tous mes loisirs, je suis apprentie détective et assistante de Louis, président-directeur général de l'agence Troisième œil. C'est un œil tout ce qu'il y a de plus perçant, un œil spécialisé dans les enquêtes présumées impossibles où tous les autres ont échoué.

Comme vous l'avez déjà deviné, Louis, que j'appelle Chère Loque, en représailles à tous les surnoms qu'il me donne, est aussi mon très cher père. À nous voir, comme ça, on ne dirait jamais. On ne se ressemble en rien, si ce n'est par la forme des yeux, que je tiens absolument de lui. Pour le reste, je suis un clone de ma mère. J'ai les yeux verts comme les siens, ceux de mon père sont bruns. Il n'est pas très grand et ses épaules plutôt larges lui donnent la carrure d'un lutteur, alors que je suis longue et mince, de la famille des échalotes, dépassant mon père dès que j'ai le moindre talon à mes chaussures.

— Tu pousses comme de la mauvaise herbe, me répète-t-il sans cesse, tout en arborant son sourire le plus moqueur.

Moi, je trouve que j'ai l'air d'une Irlandaise avec ma tignasse rousse, mes taches de rousseur, mes grosses lèvres et mon nez... encore plus gros, fâcheux héritage de ma mère. Comme elle, j'ai aussi le visage ovale, plutôt joli, qui dégage une certaine douceur. Mon père, par contre, a les traits assez carrés et la mâchoire solide, avec ce petit côté teigneux qui fait de nous une paire drôlement assortie.

C'est la grisaille précoce de sa chevelure et son vieillissement prématuré apparent qui m'a inspiré le surnom de Chère Loque. Ça lui convient à merveille, selon moi, d'autant plus qu'il a toujours sa loupe à portée de main pour examiner des indices. Malheureusement, mon jeu de mots n'a pas eu tout le succès souhaité. Mon père fait semblant d'ignorer la façon dont je l'écris et il me remercie chaque fois que je m'en sers, se disant flatté de l'allusion au célèbre Sherlock Holmes.

Malgré les liens et les différences qui nous unissent, Louis et moi, on fonctionne très peu en mode familial. Sauf à certaines occasions bien précises comme le temps des fêtes, par exemple, alors que nous sommes complètement détachés du travail. Nos enquêtes exigent trop de concentration pour qu'on se permette d'y mêler un excès d'esprit de famille.

À mon grand étonnement, pour une fois, je n'ai pas besoin de harceler Louis de questions. Il est généralement d'un naturel peu bavard, pour ne pas dire silencieux. Mais aujourd'hui, il a la parole en bouche et quand c'est le cas, rien ne semble devoir l'arrêter ! Conditionné par sa longue carrière de détective, il n'hésite pas à s'aventurer et, parfois aussi, s'enliser dans une multitude de détails, qu'il mentionne aussi bien dans l'ordre que dans le désordre, sans en omettre un seul. Les mots viennent d'eux-mêmes et ils arrivent en rangs serrés, se bousculant presque à la sortie. Les yeux ronds comme des pièces de vingt-cinq cents, je l'écoute me raconter l'histoire du diamant de ma grand-mère.

— Cet appel me ramène cinquante ans en arrière, commence-t-il, le regard perdu dans le vide. Je revois toute la scène comme si c'était hier. Je devais avoir quatre ou cinq ans. Ma mère était assise au bout de la table de la cuisine, comme d'habitude et, le visage décidé, elle glissa la petite pierre transparente dans une enveloppe qu'elle s'empressa de refermer et de cacheter. L'envoi était destiné à Cap-au-Phare, ainsi nommé à cause du grand phare qui avait autrefois promené son œil allumé sur le Saint-Laurent, guidant les navires à longueur de nuits. Ses lumières avaient sauvé bien des matelots du naufrage, mais au fil des ans, il était tombé en désuétude. S'il n'avait pas sombré dans l'oubli le plus total, il le devait à la petite chapelle accrochée au rocher à ses pieds, chapelle qui avait fait de Cap-au-Phare un lieu de pèlerinage célèbre, dédié à

Notre-Dame-du-Phare, à qui l'on attribuait de nombreux sauvetages et même des guérisons miraculeuses.

Dès l'annonce des premiers miracles, une communauté religieuse avait proposé ses services pour prendre charge de l'endroit. Les résidants de Cap-au-Phare ne s'étaient pas fait tirer l'oreille pour voir cette offre d'un bon œil. Ils aimaient leur vie simple et paisible, rythmée par les saisons du grand fleuve et ils percevaient cette prise en charge comme une libération. L'invasion des pèlerins par centaines causait déjà suffisamment de dérangement dans leurs activités quotidiennes.

Par suite de cet accord, les religieux de la communauté avaient aménagé tant bien que mal le nouveau sanctuaire, parant au plus pressé. Cependant, le cœur même de l'endroit, la petite chapelle aux miracles, ne pouvait longtemps suffire à contenir le flot croissant des pèlerins qui débarquaient à la douzaine des autobus bondés, tous impatients d'implorer Notre-Dame.

Pour satisfaire à la demande, la communauté décida de faire construire une magnifique basilique au centre de laquelle trônerait une grande statue de Notre-Dame-du-

Phare, érigée telle un repère pour les âmes en détresse. Afin de célébrer dignement toute la gloire de Notre-Dame, on avait imaginé de la parer d'une magnifique couronne sertie de pierres précieuses. On comptait se procurer les pierres en faisant appel à la générosité des fidèles catholiques d'ici et d'ailleurs.

Mon père, ton grand-père, était plutôt porté sur la religion. Sans être un fanatique, il nous emmenait au moins une fois par année en pèlerinage à Cap-au-Phare. À l'époque dont nous parlons, il était tombé sur l'article à propos de la couronne paru dans le journal régional et il en avait fait part à ma mère, qui l'avait écouté religieusement. Sans doute par dévotion à la Vierge de qui elle espérait toujours une quelconque faveur, elle avait contribué à cette grande cause sans la moindre hésitation, sacrifiant l'unique diamant qu'elle ait jamais possédé de toute sa vie. Celui-ci, légèrement ébréché lors d'un malencontreux accident, provenait de sa bague de fiançailles. Le minuscule joyau avait rejoint des dizaines d'autres pierres en provenance des quatre coins du monde

Deux mille quinze améthystes, émeraudes, saphirs, rubis, opales, diamants, turquoises, topazes ou zircons, elles étaient toutes au rendez-vous, brillantes à faire cligner des yeux n'importe qui.

Ces petits trésors, relatait l'article, *allaient être incrustés dans l'or massif de la couronne, de façon à mettre en valeur une énorme émeraude d'un vert magnifique. Cette pierre absolument unique donnait à la couronne de Notre-Dame une splendeur comparable à celle de la couronne d'Angleterre. Elle en faisait une parure d'une valeur inestimable !* "

Le journal rapportait même la légende entourant cette fabuleuse émeraude, connue sous le nom d'Œil de Colomb. On racontait que l'émeraude avait été découverte en Colombie par les conquérants espagnols, puis confiée au capitaine d'un navire qui devait la rapporter en Espagne et l'offrir à Sa Majesté la très catholique Isabelle de Castille. Cependant, comme il était fréquent à cette époque, le navire avait été surpris par une tempête dans la mer des Antilles et il avait sombré corps et biens.

Plusieurs années plus tard, des pêcheurs de perles avaient retrouvé l'épave et l'émeraude ; ils s'étaient empressés de la vendre à un riche marchand de Venise. Ce dernier, puissant armateur, avait à son tour fait cadeau de l'émeraude au Vatican, espérant obtenir ainsi la protection divine contre le mauvais œil des tempêtes et des naufrages. Finalement, le conservateur du musée du Vatican, dans un geste d'une étonnante dévotion, avait offert la pierre précieuse à Notre-Dame-du-Phare, rendant ainsi un vibrant hommage à cette grande Dame, dispensatrice de si nombreux miracles.

Louis sent monter mon intérêt et ma curiosité, mais il tourne autour du pot. C'est une belle histoire, mais je ne vois pas ce qu'elle a à voir avec notre travail. Je m'impatiente.

Non mais, me dis-je, *va-t-il enfin se décider à me mettre au courant de tout ?* Je sens l'électricité dans l'air. Mon petit doigt me dit que quelque chose de vraiment captivant est sur le point de se présenter et c'est tout juste si je ne tape pas du pied en attendant la confirmation. On n'a pas appelé Louis pour lui rappeler son passé religieux. Il y a autre chose, et je brûle d'envie de savoir quoi. Il le sait et il m'agace, me fait marcher, me répond que chaque chose vient en son temps. En clair, il refuse de cracher le morceau ! La communication qu'il a reçue ressemblait pourtant à une urgence nationale. Parfois, Louis me met hors de moi !

2. Les pierres de la couronne

Lundi 11 août, 10 h 25

J'essaie désespérément de découvrir ce qui se passe et Louis s'entête à me laisser mijoter...

Je suis en train de me dire que l'appel qu'il a reçu plus tôt ce matin doit signifier une nouvelle enquête et cette idée me plonge dans un état de fébrilité exagéré, pour ne pas dire insensé. Je me dis :

— Du calme, ma petite Suzie. Respire par le nez, ajuste tes émotions et prends ton oxygène égal, ce n'est qu'un autre mandat, une enquête de routine.

Mais j'ai beau essayer de me convaincre, je n'y parviens pas. J'ai un étrange pressentiment. Cette affaire nous réserve des surprises et pas seulement des bonnes. Il y a quelque chose de pas catholique dans cette histoire.

Louis met fin à mon supplice et me révèle enfin la source et la raison de l'appel, tout en me faisant bien jurer de garder le secret. Alors, je ne vous dis pas que l'appel provenait de monseigneur Picotte, grand chef de l'Église catholique d'ici et ancien confrère d'école de Louis. D'après la réceptionniste, il semblait dans tous ses états. Il ne voulait pas laisser de message et il a insisté pour attendre en ligne le temps que Louis se libère.

L'intervention directe de monseigneur Picotte, lui qui se mouille rarement et qui se contente généralement de jouer un rôle d'observateur et de modérateur dans les situations auxquelles l'Église catholique est mêlée, suffirait à provoquer une étincelle chez le plus endormi des détectives.

L'affaire paraît diablement sérieuse. Croyez-le ou non, on a volé la couronne de Notre-Dame-du-Phare et le fabuleux Œil de Colomb, qui vaut à lui seul une petite fortune, sans compter toutes les autres pierres, dont celle de ma grand-mère. Ce dernier élément m'incite à me lancer tête baissée dans cette enquête. Je n'ai pas connu ma grand-mère paternelle et cette histoire de pierres volées est l'occasion d'en apprendre un peu plus à son sujet. Cette affaire est carrément pour Chère Loque et moi.

Il est d'ailleurs aussi énervé que je peux l'être, car la perspective de cette enquête le touche profondément. Le contexte de cette affaire ravive en lui le souvenir de sa mère et avec cette image, c'est toute son enfance qui refait surface, laissant échapper une entière charge de bulles d'émotions.

Lundi 11 août, 10 h 50

Tout en se promenant de long en large pour mieux réfléchir, Louis marmonne entre ses dents quelques phrases pour lui-même, puis il s'arrête. Sa décision est prise.

— Alors, ma petite Quiquiche…

Je l'interromps aussitôt :

— Ah ! papa, je déteste que tu m'appelles comme ça !

… mais c'est comme s'il n'avait rien entendu.

— Prépare-toi ! poursuit-il d'un trait. Nous mettons tous nos autres projets en veilleuse…

Là, on ne plaisante plus. Tous nos projets, ça comprend même le voyage de pêche prévu pour la fin de semaine prochaine, l'un des derniers de la saison. On devait aussi emmener mon amie Emma. Elle va être déçue, mais c'est la vie. Quand on sait que Louis est plus que mordu de la pêche, qu'il considère cette activité comme sa détente majeure, le moment le plus zen de sa vie, on imagine très bien l'intérêt qu'il porte à cette histoire de joyaux.

Lorsqu'il va à la chasse, il court après les canards ou les lapins comme s'il poursuivait de dangereux criminels, mais à la pêche, il relaxe enfin. Même ma mère vient pêcher avec nous, ce qui nous donne l'occasion de passer de bons moments tous les trois ensemble. Cependant, l'affaire de la couronne vaut qu'on y mette toute notre tête.

Au delà des raisons personnelles qui nous rattachent à cet événement, cette enquête me plaît d'autant plus que le vol a eu lieu en juillet, donc il y a plus d'un mois. Alors, sous le couvert du plus grand secret, la police a déjà mené son enquête… et elle a échoué. Elle n'a absolument rien trouvé.

Pas l'ombre d'un indice, pas trace d'un suspect. Le néandertal… Oh ! Pardon ! Le néant total. Alors c'est à nous de trouver et de montrer que le Troisième Œil voit beaucoup mieux qu'aucun autre.

— Va faire ta valise, ma Quiquiche ! Et n'oublie pas d'appeler ta mère à son bureau. J'aimerais que ce soit toi qui lui annonces la nouvelle de notre départ. Je pense que tu ne voudrais pas manquer cette affaire pour rien au monde et elle ne résistera pas à ton bel enthousiasme, alors que si c'est moi qui lui en parle, je vais encore me faire dire que je t'entraîne dans des aventures insensées. Je laisse donc cette mission entre tes mains habiles. De mon côté, j'ai encore un ou deux détails à régler, dont communiquer avec la pourvoirie pour annuler nos réservations. Les poissons vont bien nous attendre une semaine de plus. Ton amie Emma aussi, d'ailleurs, mais n'oublie pas de la prévenir. On ira à la pêche avec elle à notre retour. Oh ! dis aussi à ta mère que je vais l'appeler avant notre départ. Allez, vas-y vite ! Dès que c'est fait, on met le cap sur Cap-au-Phare sur-le-champ !

Louis entreprend rarement une enquête sans moi. Malgré mes quatorze ans à peine sonnés, je suis une super championne pour détecter les menteurs, les fraudeurs, les cambrioleurs et autres méchants de tous genres. J'ai un grand talent d'observatrice. Je ne sais pas ce que j'aime le plus, fouiller tous les détails d'un crime en faisant la chasse aux indices ou rêvasser tranquillement en m'imaginant dans la peau des malfaiteurs pour voir comment ils ont réussi leurs exploits. C'est ma version personnelle de l'échiquier. Sans me vanter, je suis imbattable à ce jeu, tellement que souvent c'est

Louis qui a l'air d'être mon assistant. Il m'appelle la Fafouine des détectives, un autre surnom dont je pourrais me passer, mais ce qui importe vraiment, c'est qu'ensemble, nous formons une super équipe.

Le seul hic, c'est que ces enquêtes inquiètent sérieusement ma mère. Elle a beau être psychologue et réussir à chasser les angoisses et les peurs des autres, elle n'arrive pas à se débarrasser des siennes. Elle aimerait que je reste avec elle. Comme ça, elle pourrait toujours avoir un œil sur moi, sa fille unique et préférée. Quand je m'absente, elle se fait du mauvais sang. Elle imagine constamment les pires malheurs.

Ça fait pourtant plusieurs fois que je pars avec Louis faire une enquête en dehors de la ville. Depuis que j'ai douze ans, quand j'ai un congé scolaire, je l'accompagne toujours. Rien à faire cependant, ma mère ne s'habitue pas. Elle est toujours aussi énervée et elle ne tient pas en place jusqu'à notre retour. Je pense que toutes les mères sont pareilles...

3. On ouvre l'œil.

Sur la route, lundi 11 août, 11 h 55

Les quelques deux cents kilomètres qui nous séparent du sanctuaire de Notre-Dame-du-Phare me fournissent l'occasion de questionner Louis au sujet de ma grand-mère. Elle ne semble pas avoir eu une vie très heureuse. Ce qui en ressort, d'après Louis, c'est qu'elle a épousé l'homme que sa mère avait choisi et non celui dont elle était amoureuse. C'était une situation fréquente à cette époque, mais ça l'a rendue malheureuse tout au long de sa vie. C'est pour ça qu'elle a sacrifié le diamant de sa bague de fiançailles au profit de la couronne de Notre-Dame-du-Phare. Il représentait cette union qui portait le mauvais œil, une vie entière passée dans la discorde.

Nous terminons le voyage dans un silence de cathédrale. J'essaie de m'imaginer la vie de ma grand-mère qui, aux dires de mon père, conservait malgré tout un sourire toujours prêt à s'épanouir comme une éternelle joie de vivre. Je trouve quand même son existence passablement triste et je me promets bien de tout faire pour éviter pareil malheur.

— Allez, Suzie, réveille-toi ! dit la petite voix dans ma tête.

Du coup, je chasse ces images grises et je reviens sur terre. Une enquête majeure nous attend, et il faut s'y préparer. Je passe mentalement en revue les quelques éléments à notre disposition. C'est plutôt maigre dans ce cas-ci, mais nous devons faire avec ce que nous avons. Finalement, Louis sort à son tour de ses réflexions et nous dressons un plan d'attaque sommaire, une sorte de grille de départ. La suite viendra d'elle-même.

Cap-au-Phare, lundi 11 août, 13 h 55

Nous arrivons à Cap-au-Phare en début d'après-midi et nous nous dirigeons immédiatement vers les lieux du vol, non sans que je fasse un saut éclair au premier restaurant venu. J'y attrape au passage mon plat préféré, une délicieuse poutine italienne que j'engouffre en trois bouchées. J'avais trop faim, je ne pouvais plus attendre ! Là, ça va mieux ! Y a rien comme un ventre plein pour fonctionner à plein régime !

Avec le métier de détective, on prend souvent de mauvais plis avec les plats. Toujours sur le qui-vive et à la course, on va au plus pressé, on se remplit d'abord et avant tout, on développe même des manies, des toquades. on est loin du régime idéal. Louis et moi, on fait le désespoir de ma mère, qui voudrait bien nous voir troquer la malbouffe pour un menu un peu plus santé. Pour l'instant, on a bien d'autres chats à nourrir.

Question de politesse élémentaire et aussi pour nous assurer leur collaboration dans la mesure du possible, nous nous identifions d'abord auprès des responsables du sanctuaire de Cap-au-Phare. Nous voulons du même coup les aviser de notre mandat, nous frappons donc à la porte de la révérende mère Irène Delacroix. C'est une religieuse au début de la quarantaine, au visage plutôt agréable, mais rendu trop sévère par la cornette qui l'encadre étroitement. Depuis cinq ans déjà, elle occupe le poste de supérieure de la communauté qui administre le complexe religieux considérable qu'est devenu le sanctuaire de Notre-Dame-du-Phare.

Mère Irène ne semble pas plus enchantée qu'il le faut de notre visite et elle s'empresse de nous faire remarquer que la police a déjà mené son enquête. Elle ne voit donc pas la nécessité de recommencer un processus aussi pénible une fois de plus. Elle se dit étonnée de la demande de monseigneur Picotte, dont elle n'a eu vent que ce matin.

— Un scandale est la dernière chose dont le sanctuaire a besoin, poursuit-elle, et le mieux serait de mettre toute cette histoire à la poubelle. Le voleur a remplacé la couronne par une fausse, plaquée or et ornée de morceaux de verre. N'eut été de l'employé qui nettoie scrupuleusement la statue tous les jours et qui s'applique à faire briller la couronne de tout son éclat, il aurait pu se passer des semaines avant que quelqu'un remarque l'échange. Alors pourquoi remuer la boue et brouiller l'eau encore une fois ? Enfin, puisque c'est le vœu de monseigneur, allons-y ! Je suis à votre disposition, que puis-je faire pour vous aider ?

Je laisse Louis répondre à cette question et j'en profite pour observer mère Irène. Elle paraît vraiment fatiguée de toute cette affaire, et il serait difficile de dire si elle dissimule quoi que ce soit. Je trouve qu'elle démissionne et accepte la fausse couronne un peu vite, mais mon détecteur de mensonges intérieur n'a pas sonné, et je la crois sincère. Nous prenons tout de même rendez-vous avec elle pour le lendemain matin, question de visiter les lieux du crime et de revoir du même coup sa déposition en détail.

Lundi le 11 août, 15 h 30

Il nous reste une bonne partie de l'après-midi. Après une bouchée sur le pouce, nous

nous rendons à reculons au quartier général de la police locale. J'ai encore faim, mais à mon grand désespoir, je n'ai pas réussi à convaincre Louis d'arrêter pour un repas plus substantiel. Cette démarche lui donne des boutons, et il veut s'en débarrasser au plus vite.

Cette réaction s'explique facilement. Louis a toujours rêvé d'être détective. Avant de se tourner vers le côté privé de la profession, il a emprunté la voie normale, allant jusqu'à faire partie d'un corps de police régulier. Son séjour y fut de courte durée, cependant. Il s'avéra vite qu'il ne pouvait supporter l'autorité fondée sur l'ancienneté ou sur la prétention du plus haut gradé, sans concession à l'intelligence ou, à tout le moins, au simple bon sens.

Comme prévu, la réception est plutôt glaciale. Les limiers dotés du moindre flair sentent instinctivement la présence de quelqu'un qui leur est hostile et ils le lui rendent bien. Ils n'aiment pas qu'on renifle leurs traces, et il a fallu tout le poids politique de monseigneur Picotte pour avoir accès au dossier complet de l'affaire des joyaux. Nous devons le consulter sur place, sous les regards et les farces idiotes des officiers locaux, mais il faut ce qu'il faut. On ne sait jamais ce qu'on peut trouver, un détail négligé en marge, un mot échappé entre les lignes... mais non ! Le rapport paraît relativement complet, sans pour autant offrir la moindre piste valable. Que des impasses et des culs-de-sac. C'est à croire que le cambriolage n'a eu lieu que dans les rêves du gardien qui veillait cette nuit-là. Impossible pourtant !

Les enquêteurs ont dû louper un détail, dit Louis en sortant sa loupe de sa poche et en souriant à son jou de mots. Loupe, louper, tu comprends... insiste-t-il, mais je ne mords pas.

Il faut dire que mon paternel de patron est maniaque des mots et encore plus des jeux de mots. Il en fait pour tout et pour rien et il est à coup sûr son meilleur public. Je trouve souvent qu'il exagère, mais mine de rien, il est en train de faire de moi une championne des mots croisés et du jeu de scrabble, ce que je ne déteste pas.

Mais revenons à nos oignons, puisqu'il faut s'en mêler. (Se mêler de ses oignons, j'entends !)

Je suis cent pour cent d'accord avec Louis, les détectives de Cap-au-Phare ne sont pas très forts. En temps normal, je dirais qu'ils ont dû rater un élément tellement gros qu'il leur est passé sous le nez sans qu'ils s'en aperçoivent. Mais mon petit doigt (encore lui !) me dit qu'il y a peut-être une autre théorie plus plausible : notre cambrioleur est tout simplement un être brillant, qui a réussi son coup en utilisant une approche à laquelle personne n'avait pensé jusque-là. Élémentaire, Chère Loque ! J'ai beaucoup de respect pour l'intelligence des grands cambrioleurs. Les sous-estimer serait une grossière erreur.

Vue sous cet angle, la visite des lieux jettera peut-être un nouvel éclairage sur le vol. C'est ce que nous saurons demain matin. Pour l'instant, nous n'avons plus rien à faire ici et c'est en poussant un soupir de soulagement que nous quittons l'atmosphère lourde et agressante du poste de police.

Lundi 11 août, 18 h 15

Sitôt sorti, Louis ne peut s'empêcher de remarquer, en imitant l'expression bourrue du policier qui nous a reçus que :

— … la force constabulaire a la mine plutôt patibulaire…

— Patibulaire, patibulaire… ça veut dire quoi, au juste ? Je ne dors pas la tête sur mon dictionnaire, moi ! fais-je remarquer à mon père, qui s'amuse de mon ignorance.

— Ça veut dire une mine sombre, sinistre, ma chouette. Du genre à nécessiter un méchant miracle pour devenir souriante et sympathique. Il faudra faire attention, achève-t-il, comme nous montons dans la voiture, ces policiers pourraient bien vouloir nous mettre des bâtons dans les roues.

Fatigués, nous rentrons au chic Motel du Phare où, après une bonne douche, nous commandons un repas à la chambre. C'est le genre d'endroit qui fait de la super bouffe ordinaire, des frites bien grasses et un vrai club sandwich viande blanche, garni avec de la mayonnaise Miracle Whip.

Sauf que Louis déteste la Miracle Whip ! Les restaurateurs chez qui il a l'habitude de dîner le savent et certains gardent même un pot de vraie mayonnaise au frigo, avec son nom inscrit dessus. Sinon, il a toujours dans la voiture une poignée de petits sachets individuels empruntés aux restaurants précédents. Je l'ai même vu courir chez le dépanneur le plus près et rapporter son propre pot à table. Dans ces moments-là, j'aurais le goût de m'asseoir ailleurs et de faire semblant de ne pas le connaître. Il m'énerve...

Pour calmer à la fois mon impatience et mon appétit en attendant le repas, je décide d'appeler ma mère. Je veux la rassurer sur notre état de santé, mais pas de chance, elle n'est pas à la maison. Nous avons annulé le voyage de pêche et elle est en congé, alors elle a dû partir pour le chalet. Ce petit coin de paradis perdu le long d'une rivière est notre oasis de paix, nous nous efforçons de le conserver le plus intact et le plus naturel possible. Il n'y a donc pas de téléphone. Tant pis. Je lui laisse quand même un mot sur le répondeur de la maison. Elle prendra sûrement les messages au cours de la journée de demain.

Comme je dépose le combiné, mon assiette arrive, copieuse à souhait, et le plaisir de manger ma poutine préférée l'emporte rapidement sur le reste. La journée a été mouvementée. Je soupçonne que ce n'est qu'un début, mais je me sens bien. Louis et moi, on termine la soirée par notre incontournable partie de scrabble. Pour une des rares fois, la chance est de mon côté. Tour après tour, je pige les bonnes lettres et c'est moi qui gagne ! Louis se fait grognon, mais je sais que ce n'est pas sérieux. Quoiqu'il n'aime jamais perdre… Enfin, nous allons au lit et le temps de poser la tête sur l'oreiller, nous dormons comme des loirs.

Mardi 12 août, 6 h 30

Le lendemain, comme prévu, nous nous rendons au sanctuaire et nous assistons à la première messe de la journée. La fumée et les odeurs d'encens emplissent l'air, adoucissant la lumière tissée de brume dans laquelle baignent les nombreux fidèles déjà rassemblés malgré l'heure matinale. Fervents croyants, ils sont venus prier la Vierge du phare de les guider sur les chemins de la santé, du succès ou de la fortune... Qui sait, un miracle est si vite arrivé !

Tout au long de la cérémonie, on fait et refait du regard le tour de l'endroit, de façon à nous en imprégner complètement. À la fin de la messe, je ferme les yeux et je vois dans ma tête l'image claire et complète de l'église dans ses moindres recoins.

Je sors alors le petit carnet où j'inscris mes notes à mesure que l'enquête avance. Je m'en sers aussi pour dessiner les lieux ou les éléments significatifs, de même que les portraits sommaires des suspects ou des principaux témoins. Ça m'aide à me situer et à me concentrer par la suite. Sans regarder autour de moi, je trace quelques croquis de mémoire, pour être bien certaine que les images que j'ai enregistrées sont exactes. Je m'applique surtout à détailler la statue de Notre-Dame, qui trône en plein cœur de la nef, sous la coupole de verre qui orne la voûte. Le corps légèrement penché vers l'avant et les mains tendues vers la foule, on dirait qu'elle est en train de distribuer ses bienfaits aux fidèles réunis. Même si nous savons que ces pierres sont fausses, la couronne posée sur la tête de la statue n'en attire pas moins les regards.

Mardi 12 août, 8 h 20

Une fois mes croquis terminés et vérifiés, nous sortons prendre le petit déjeuner. Eh oui ! j'ai encore faim, et Louis souffre de son habituelle rage de dent sucrée qui lui fait avaler du gâteau au chocolat aux premières heures de la journée. Il a sûrement l'estomac blindé pour accomplir un tel exploit sans avoir mal au cœur. Je ne connais personne capable d'en faire autant. Il m'impressionne à tout coup !

Côté bouffe, il n'est surtout pas à prendre pour modèle. Il est aux antipodes de la cuisine santé. Si on le montrait à la télé en train de manger, on écrirait sûrement au bas de l'écran : « À ne pas essayer à la maison. »

Je connais suffisamment Louis pour savoir que ce genre de remarque n'obtient aucune résonance de sa part. Au lieu de critiquer son menu, nous avalons notre repas en faisant ce que ferait tout bon détective, soit tenter d'éclairer notre lanterne. Nous passons en revue tous les scénarios possibles, même les plus simplistes, et nous procédons par élimination.

Étant donné l'emplacement de la statue, il ne fait aucun doute que personne n'aurait pu s'emparer des joyaux en plein jour. Quelqu'un s'est donc introduit dans le sanctuaire pendant la nuit, peut-être avec l'aide d'un complice demeuré à l'intérieur. Les portes de l'église semblent impossibles à forcer de l'extérieur sans faire d'énormes dégâts, et on n'a trouvé aucune trace d'effraction. L'autre possibilité, c'est que le ou les coupables soient restés à l'intérieur, profitant du brouhaha de la fermeture pour se dissimuler dans un coin sombre et disposer ainsi de la nuit entière pour accomplir leur méfait. Ensuite, plus qu'à attendre le lendemain pour se mêler à la foule qui se presse à l'ouverture et filer en douce.

Quant à la fausse couronne, n'importe qui peut fabriquer une imitation à partir d'une photo ou d'un croquis comme ceux que je viens de faire. C'est une hypothèse possible, mais dans ce cas, où est passé le gardien de nuit ?

Quelque chose m'agace dans tout ça, des éléments m'échappent, mais voyons ce que mère Irène et le gardien de nuit ont à dire. Nous avons décidé de prendre le café avec eux et de revoir chacune de leurs dépositions ensemble, de façon à confronter leurs versions des faits. Quoi qu'en dise le rapport de police, tout n'est pas clair dans leurs témoignages.

En pareille situation, c'est encore une fois Louis qui pose la plupart des questions. Dans ce contexte, les adultes ne me prendraient pas au sérieux. Moi, en même temps, ça me permet d'écouter et d'observer. Les gestes et les tics des témoins peuvent souvent en dire plus que toutes leurs belles réponses, et Louis croit que le regard des enfants est plus neuf, plus ouvert. Il n'a pas été corrompu par les intentions ni par les interdits. Cependant, pour l'instant, malgré nos bonnes dispositions et nos efforts conjugués, nous tournons en rond et n'allons nulle part.

Mardi 12 août, 10 h

Mère Irène semble à moitié absente et souverainement désintéressée de cette histoire qui n'en finit plus. Si elle soupçonne quelqu'un, d'après son attitude, c'est sans doute le gardien de nuit, à qui elle jette de fréquents regards à la dérobée. Toutefois, si tel est le cas, elle ne se donne même pas la peine de nous en faire part. Cette piste n'a produit aucun résultat jusqu'à présent, bien qu'on sente une certaine nervosité chez lui. Beaucoup plus jeune que la supérieure, il n'a pas trente ans, et l'interrogatoire l'intimide visiblement. Il n'a sans doute pas tout dit à la police, mais nous verrons bien. En attendant, son léger embarras le rend éminemment sympathique et il est absolument mignon à regarder. Il a une tête d'innocent à qui l'on donnerait le bon Dieu sans confession. J'orienterais plutôt mes soupçons du côté de mère Irène, mais je ne suis peut-être pas très objective... Nous verrons bien. En attendant, ce que le jeune homme raconte n'est pas sans intérêt.

Tout d'abord, il n'est entré en poste que quelques jours avant le vol, remplaçant à pied levé le vieux gardien qui veillait sur Notre-Dame toutes les nuits depuis plus de vingt-cinq ans. L'homme est tombé malade, semble-t-il, et on est sans nouvelles de lui depuis. Cet élément sera sûrement à vérifier. Toujours selon le gardien, il est impossible de pénétrer dans le sanctuaire la nuit à moins d'avoir un complice à l'intérieur, qui ne pourrait être que lui-même, et si c'était le cas, il ne se dénoncerait certainement pas.

Il semble aussi pratiquement impossible à quelqu'un de se cacher à l'intérieur à l'heure de la fermeture. Les horaires des gardiens de jour et de nuit se chevauchent d'une demi-heure en début et en fin de journée, c'est à deux qu'ils font une inspection minutieuse et complète des lieux. Bien sûr, ils pourraient être complices, mais la conjointe du gardien de jour a confirmé qu'il était bel et bien à la maison avec elle la nuit du cambriolage. Son alibi est en béton. De plus, les deux gardiens viennent de la même agence de sécurité, une agence reconnue et aussi irréprochable que le dossier des deux individus en question.

De toute façon, dès le départ, l'hypothèse est tirée par les cheveux. Elle suppose que les deux hommes aient trafiqué ou contourné le système d'alarme, qui ne s'est jamais déclenché cette nuit-là. L'ordinateur n'a enregistré aucune interruption de courant. C'est là que réside tout le mystère.

Le système d'alarme qui protège la statue ressemble à une toile d'araignée ou à un filet de rayons lasers entrecroisés jeté sur Notre-Dame comme un grand manteau qui la recouvre de la tête aux pieds. La barrière paraît infranchissable.

Nous nous retrouvons ainsi dans la même impasse que les policiers, mais mon petit doigt, toujours aussi fatigant, continue de me répéter qu'il doit y avoir une possibilité que nous n'avons pas vue. En repassant encore une fois les images du sanctuaire dans ma tête, mon ordinateur, qui se prend pour un génie, laisse soudain échapper un clic et une lumière s'allume dans mon petit crâne pas si bête, éclairant une piste prometteuse. Toutefois, je préfère garder le silence. Pour l'instant, je me contente de poser quelques questions d'apparence anodine, mais qui s'avèrent très fructueuses.

Quand je demande au gardien s'il a dormi durant ses heures de service la nuit du cambriolage, il devient tout rouge et hésitant, pour finalement avouer, en balbutiant quelque peu :

— Vous voyez, c'était ma première semaine de travail de nuit depuis longtemps et mon organisme n'était pas encore habitué à cet horaire. Mais je jure que ça ne s'est pas reproduit depuis.

Voilà ce qu'il a caché aux enquêteurs de la police, de peur de perdre son emploi. Il a dormi une bonne partie de la nuit. On pourrait même l'avoir aidé en mettant un somnifère dans son café, ce qui viendrait renforcer l'hypothèse d'un complice à l'intérieur. Il me reste une dernière question…

— Y a-t-il eu des événements spéciaux, des incidents inhabituels, des visiteurs de marque ou quoi que ce soit qui sorte de la routine quotidienne du sanctuaire au cours de la fameuse semaine ?

Le gardien se gratte la tête un instant, puis répond par la négative.

— Non, je ne me souviens pas, je ne crois pas… attendez… non, vraiment pas. Il y a bien eu la visite d'un délégué papal, mais il n'y a rien là de bien extraordinaire. À ce qu'on m'a dit, il en vient un chaque année et souvent plus d'une fois...

Mère Irène, jusque-là d'une indifférence absolue, semble soudain être assise sur une punaise.

— Vous n'allez tout de même pas mêler l'envoyé du pape à toute cette histoire sordide... Ce serait une véritable honte, une insulte sans précédent... Remettre en question l'honnêteté papale, soupçonner son messager... je m'y oppose formellement !

Sans supporter plus longtemps la punaise qui lui pique une fesse, elle se lève, le visage tordu par la colère et quitte la table, jetant au passage un regard noir au gardien qui la regarde partir, l'air complètement ahuri. J'adresse un petit sourire en coin à Louis. Aurions-nous touché un point sensible ? Existerait-il un lien secret entre la religieuse et le délégué apostolique ? C'est une hypothèse à vérifier.

Nous sortons derrière le gardien. Cet interrogatoire s'ajoutant à sa nuit de veille, il semble vouloir filer à toute vitesse, pressé de retrouver enfin le confort de son lit. Louis l'interpelle juste avant qu'il ne s'éloigne :

— Hé ! une dernière question s'il vous plaît, connaissez-vous le nom de... du... la chose, là, l'annonce apostolique ? demande-t-il en massacrant volontairement les mots et en jouant l'idiot.

Le gardien se gratte la tête un moment, avant d'avouer son ignorance :

— Je ne sais pas... je ne suis pas certain.... Ça sonnait comme Déstroiskis... Désbiskuits...

Débusky... En tout cas, c'est polonais, comme le pape Jean-Paul II.

— Destroiskis, Des...trois...skis... quelle belle piste ; on remonte la pente, ne peut s'empêcher de commenter Louis.

4. Dans l'œil de la tourmente

Mardi 12 août, 12 h 40.

Après cet entretien des plus captivants, Louis et moi décidons de partir chacun de notre côté. Pendant qu'il va essayer d'en apprendre davantage sur l'ancien gardien et sur ce délégué apostolique, moi je compte demeurer aux alentours du sanctuaire. J'ai une petite hypothèse à vérifier. J'aimerais bien que mon intuition s'avère juste, histoire de faire une surprise à mon père et de lui rappeler l'importance de ma participation à ses enquêtes, malgré les objections de ma mère, qui me voit encore dans ses jupes.

Absorbés dans nos pensées, nous traversons la rue juste en face du sanctuaire quand soudain, j'entends crisser des pneus dans mon dos. Je me retourne, horrifiée :

débouchant de nulle part, une voiture noire aux vitres teintées fonce droit sur nous. Instinctivement, je me jette sur Louis de toutes mes forces, et nous roulons sur le terre-plein au centre de l'avenue. Nous évitons de justesse la voiture qui brûle le feu rouge et s'éloigne à toute vitesse, écrasant au passage le feutre de Louis, qui a roulé sur la chaussée.

Ouf ! On l'a échappé belle ! J'ai le cœur qui bat comme si j'avais couru trois marathons. J'ai l'impression que je vais exploser. J'ai eu vraiment la frousse. J'étais sûre que ce fou furieux allait heurter l'un de nous, sinon les deux. Il roulait à une vitesse folle !

Heureusement, ma mère ne voit pas ça. Je serais immédiatement rappelée au bercail.

De son côté, Louis ne dira rien, sinon c'est lui qui prendrait le blâme. Pour l'instant, de toute façon, il est paralysé, en état de choc. Il va falloir être vigilant. J'aurais juré que ce chauffard nous cherchait.

Cet incident a-t-il un rapport avec notre enquête ? Si c'est le cas, notre cambrioleur ne recule devant rien. Avons-nous affaire à un plus gros poisson que prévu ? Est-ce que le vol des joyaux de Notre-Dame n'est qu'un coup parmi bien d'autres ? Est-ce le fait d'un simple escroc solitaire ou sommes-nous en présence d'un réseau international de trafiquants de pierres précieuses ? Les questions se courent les unes après les autres dans ma tête, mais cet accident manqué tend à prouver que nous sommes sur la bonne voie.

— Si ces bandits se sentent menacés, tôt ou tard, ils vont revenir à la charge et, tôt ou tard, ils vont commettre une erreur. C'est là que nous les attendrons. Ce n'est pas une tentative d'intimidation qui va nous arrêter, conclut Louis en finissant de redonner forme à son précieux chapeau. J'enlève du revers de la main l'herbe et la terre restées collées à mon pantalon. J'ai les genoux tout mous.

J'écoute Louis en essayant d'avoir l'air brave, mais je me sens toute petite, minuscule... Si ces gens voulaient me faire peur, ils ont réussi. Jusqu'à ce jour, j'ai toujours été plus curieuse que peureuse, mais là, je n'aime pas ça. J'aurais le goût d'être dans les bras de ma mère, de me faire bercer ou de m'endormir avec mon gros ourson favori. Ces méchants vont me faire regretter les petites filatures tranquilles de maris qui trompent leur femme... ou de femmes qui reçoivent leur amant l'après-midi.

« Mais c'est la vie », comme dirait Louis, et il faut continuer.

Mardi 12 août, 13 h 05

Louis est quand même un peu nerveux et, maintenant, il hésite à me laisser seule. C'est le papa en lui qui remonte à la surface, mais j'ai retrouvé mon calme et je m'empresse de le rassurer.

Je suis probablement plus en sécurité perdue dans la foule qui circule autour du sanctuaire que seule dans une chambre de motel. Je me laisse ainsi porter par le flot des passants pendant qu'il s'éloigne en jetant de fréquents coups d'œil autour de lui.

Je fais lentement le tour du sanctuaire quand je sens un picotement dans ma gorge. Je n'ai pas avalé de chat, alors ça veut dire que j'ai faim. Et si j'ai faim, c'est que je vais sûrement mieux. Cette aventure m'a en fin de compte ouvert l'appétit et une petite bouchée va finir de me remettre d'aplomb. Il y a justement un comptoir alimentaire au coin de la rue, et ils ont de la poutine italienne. Je l'avale tout en marchant, sentant la vie revenir dans mon corps. Je tente de me faire la plus invisible possible dans la foule et, à la première occasion, je disparais dans le jardin derrière la basilique. L'endroit est désert et j'ai vite trouvé ce que je cherche.

Entre deux encoignures de l'édifice, hors de vue de la rue, un escalier de secours flotte à quelques pieds du sol. Je n'ai pas suffisamment de recul pour voir sur le toit, mais je suis sûre de ce que je vais y trouver.

Je saute et j'attrape l'escalier, qui se pose par terre sous mon poids. Je monte les marches lentement, les mains bien accrochées aux rampes et quand j'arrive en haut, bingo ! L'escalier mène à une échelle fixée au toit, qui permet d'atteindre la coupole. Je l'aurais juré. Seigneur, j'ai le trac, j'ai la frousse, car j'ai une peur bleue des hauteurs. Il m'a déjà fallu tout mon sang-froid pour me rendre jusqu'ici, mais... mais quand il faut y aller, on y va !

Je prends mon courage à deux mains et, tremblante comme une feuille avant l'orage, le corps collé aux barreaux, je m'engage lentement sur l'échelle. Maman, j'ai peur... Avec mille précautions, j'atteins la coupole et là eurêka ! J'avais vu juste !

Il y a deux fenêtres dans la coupole, suffisamment grandes et équipées d'anneaux pour arrimer une plate-forme de travail destinée à l'entretien périodique de cette vaste soucoupe de verre. C'est plus qu'il n'en faut pour accrocher une corde à nœuds multiples ou une échelle et se retrouver suspendu juste au-dessus de la tête de la statue de Notre-Dame. Très peu pour moi, merci, mais tout bon acrobate peut le faire les yeux fermés.

Mardi 12 août, 15 h 25

Tout à la joie de ma découverte, je suis soudainement prise d'un furieux désir de danser. Pour un instant, j'en oublie où je suis. Je me lève sur les genoux et aussitôt, je fais un faux mouvement. La tôle du toit est pire qu'une patinoire et la seconde d'après, je me retrouve le pied et la moitié de la jambe coincés entre le toit et un des barreaux de l'échelle. Je sens une bouffée de chaleur me monter à la tête et je vois des étoiles. Je viens d'échapper par miracle à une chute mortelle. Après tout, Notre-Dame-du-Phare est peut-être vraiment miraculeuse... mais je ne suis pas encore sortie du pétrin pour autant.

J'ai beau me tortiller dans tous les sens, tirer, pousser, supplier, prier Notre-Dame, rien à faire. Impossible de me dégager ! Je n'ai plus d'autre option que d'appeler au secours et d'espérer qu'on m'entende, tout en sachant très bien que la police va se rameuter. Ça va me faire une belle jambe ! Quelle idiote je fais ! Nous ne sommes déjà pas dans leurs bonnes grâces, les policiers vont profiter de la situation pour se défouler.

Moi, la supposée grande détective, prise à mon propre piège. Je vais avoir droit à un interrogatoire en règle sans compter les petites vacheries et les coups bas qu'ils ne manqueront pas d'inventer pour me faire suer. Ils ne s'arrêteront pas tant qu'ils ne sauront pas ce que je faisais sur le toit de la basilique. Je dois éviter à tout prix de leur dévoiler cette information, sinon ils vont vouloir se mêler de l'enquête et avec leurs gros sabots, ils risquent de tout faire rater.

Mardi 12 août, 16 h 05

Avant de me mettre à hurler comme un animal qu'on égorge, il me faut trouver un prétexte solide et crédible pour expliquer mon ascension. Il doit être d'un ordre strictement personnel et n'offrir aucun lien, si minime soit-il, avec l'enquête en cours. Les « patibulaires », comme dirait mon père, ne doivent absolument rien soupçonner.

Qu'est-ce qu'on peut bien vouloir faire ou voir pour monter sur le toit d'une basilique ? On veut voir la ville d'en haut, admirer le majestueux Saint-Laurent qui contourne paresseusement le Cap-au-Phare en emportant dans ses replis le secret des miracles accomplis. On peut aussi s'attarder au squelette du vieux phare qui hante encore le ciel tel un fantôme du passé. On veut fixer la beauté du coup d'œil sur pellicule et la garder en souvenir... Zut ! Je n'ai pas mon appareil photo !

Je refais encore une fois l'inventaire du contenu de mon sac à dos, dans l'espoir de trouver quelque chose qui m'inspire. Mon appareil photo n'y est certainement pas, mais ne désespérons pas, je crois que je tiens la solution... Si je ne peux photographier la ville, je peux très bien la dessiner. J'ai mon cahier d'esquisses et des crayons plein mon sac. Alors, allons-y, qu'on en finisse au plus tôt ! Cette ascension m'a laissé un petit creux, et je n'ai rien à me mettre sous la dent. Encore une chance que nous soyons en plein mois d'août et non en janvier, sinon j'aurais fait une superbe sculpture de glace !

J'aurais sûrement entamé un premier dessin avant de faire ma chute. Je trace donc quelques lignes rapides, je garde le tout bien en vue et, résignée, je lance un premier S.O.S, très discret, trop même. Personne ne m'entend et au fond, c'est ce que je souhaite... mais je n'ai pas le choix. Je me mets à hurler de toutes mes forces dans le quasi silence qui entoure la basilique et une à une, les têtes se relèvent et me lancent des regards, parfois de compassion, mais surtout d'indignation.

J'imagine les remarques de ces dames que Louis appelle les punaises de sacristie et les grenouilles de bénitier, des noms puisés dans ses souvenirs d'enfance pour désigner ces femmes d'un certain age qui passent leur temps à l'église et qui font semblant de prier, mais qui s'indignent au moindre prétexte et disent constamment du mal des autres dans leurs dos. Je les entends s'offusquer :

— Qu'est-ce qu'une fillette de son âge peut bien faire sur le toit d'un édifice, un édifice religieux de surcroît ? Ce n'est pas un terrain de jeu ! Cette enfant profane un lieu sacré.

— Faites-la descendre au plus vite ! répètent-elles sur un ton offensé.

Elles me font penser à des oiseaux de malheur, à des vautours, et je suis contente de les voir s'éloigner à mesure que se rapproche le vacarme des sirènes des voitures de police qui se frayent un chemin dans la foule en émoi.

Mardi 12 août, 16 h 40

Au bout de quelques minutes, j'aperçois la tête d'un agent qui émerge au pied de l'échelle.

En me voyant, son visage se fend d'un large sourire.

— Mais si c'est pas notre grande détective à l'œil de faucon, s'exclame-t-il en riant. Veux-tu bien me dire qu'est-ce que t'es venue faire là-haut ?

Je réponds sans la moindre hésitation :

— Je suis venue faire des croquis de la ville et du paysage. Vous habitez vraiment un beau coin !

— Des croquis, tiens donc, reprend le policier sur un ton incrédule, parce qu'en plus d'être détective, mademoiselle est artiste.

— Absolument, lui dis-je, l'air offusqué. Vous ne me croyez pas ? Tenez, regardez, dis-je en lui tendant mon carnet.

— Non non, ça va, je te crois, bougonne-t-il en repoussant mon carnet.

Convaincu de ne rien tirer d'autre de moi, il ne se donne même pas la peine de vérifier mes dires et il commence à examiner ma situation, pendant que son collègue monte l'échelle à son tour.

Quoi de plus prévisible qu'un agent qui suit un autre agent ? On croirait entendre l'écho du premier. Mêmes questions, mêmes réactions. Il ne reste plus qu'à me sortir de là. Après une soigneuse inspection, mes deux moineaux tombent d'accord, il faut faire venir un chalumeau et couper... Ne vous trompez pas, le barreau de l'échelle, pas ma jambe coincée !

À mon grand soulagement, cela se fait rapidement et sans douleur. Une demi-heure à peine après mes premiers cris, me voilà de retour sur la terre ferme, avec une jambe à moitié bleue et l'estomac dans les talons. Je meurs de faim et je n'ai qu'une idée en tête, aller rejoindre Louis au restaurant où nous avions convenu de nous retrouver. Je sursaute quand une main m'attrape au collet...

Mardi 12 août, 17 h 45

— Hé ! Minute, ne te sauve pas si vite, ma princesse, me dit le premier policier. Tu dois venir avec nous à la clinique passer un examen médical, histoire de s'assurer que tu n'as rien de sérieux et que nous sommes dégagés de toute responsabilité.

Comme je m'en doutais, cette randonnée n'a rien d'une promenade en carrosse. Je ne suis pas la princesse de ces messieurs non plus ! De nouveau, c'est le barrage de questions, suivi des avertissements d'usage, qui se résument à :

— Mêlez-vous de vos affaires. Ce dossier est considéré comme classé et vous n'avez rien à gagner à mettre votre nez dans le passé. Rentrez chez vous et laissez la police faire son travail.

Je me retiens de leur dire :

— Justement, le problème, c'est que vous ne l'avez pas fait, votre travail !

Toutefois, rien ne sert de retourner le fer dans la plaie. Je ne veux pas courir après les embêtements. Je souhaite plutôt m'éclipser le plus vite possible. Pour ce qui est de mon escapade sur le toit, je maintiens ma version des faits et je joue la fillette repentante, ce qui évite de multiplier les accrochages avec les officiers locaux.

L'examen ne prend que quelques minutes. La radiographie ne révèle aucune fracture. Je n'ai rien de brisé, c'est l'essentiel. Mes deux anges gardiens me quittent enfin.

Entre temps, j'ai pu rejoindre Louis au téléphone et lui raconter mon aventure à mots couverts. Il arrive comme je sors. En me voyant bien en forme, toute trace d'inquiétude s'efface de son visage. Son expression retrouve son éclat pétillant et rieur. À le voir, je devine que la pêche aux renseignements a été bonne.

Nous entrons dans le premier restaurant venu et nous sommes à peine assis qu'il commence à déballer son sac. Je l'arrête aussitôt. Il faut savoir mettre nos priorités dans le bon ordre, comme il le dit souvent lui-même, c'est essentiel au bonheur. Dans ce cas-ci, le bonheur, c'est de manger, ce qui signifie commander d'abord le repas, puis ensuite discuter en grignotant et en espérant l'arrivée du plat principal. Ce sera un club sandwich sans Miracle Whip pour Louis, qui a attrapé un petit pot de mayonnaise chez le dépanneur en passant…

— On n'est jamais trop prudent, chuchote-t-il en dissimulant son pot sous la table.

Quant à moi, je ne cours pas de risque non plus. Je me fie à ma poutine italienne grand format, même si Louis en fait presque une crise d'allergie. Sur un ton qui frôle le dégoût, il me lance :

— Toi et ta poutine, c'est pas Quiquiche que je devrais t'appeler, c'est Titine !

Sans même me laisser le temps de répondre, il plonge aussitôt dans le récit de ses découvertes. Quand il est comme ça, il m'énerve, il m'enrage…

— Je pense que nous flairons la bonne piste, s'exclame-t-il en laissant percer dans le ton de sa voix un enthousiasme contenu. Commençons par le vieux gardien sensé être malade à la maison.

— Vas-y, Louis, je t'écoute, même que je ne fais que ça !

— Tiens-toi bien, mon petit poussin. Après vérification et contre-vérification auprès des autorités locales, de la Sûreté nationale et de la famille proche, la rumeur est confirmée. Notre homme, parce que c'est bien de lui qu'il s'agit, est décédé des suites d'un accident de voiture la fin de semaine précédant le vol. Selon les rapports, il aurait perdu la maîtrise de son véhicule et plongé dans un ravin. Le seul témoin de l'accident est un cultivateur qui dit avoir vu, mais de très loin, une berline noire qui dépassait le véhicule du gardien au moment de l'accident. Curieuse coïncidence, quand même...

Coïncidence mon œil ! Je commence à en avoir par-dessus le pompon ! Ce sont les mêmes qui ont tenté de nous heurter. Le vieux gardien avait peut-être vu quelque chose qu'il ne devait pas voir ou, alors, ils ont tout simplement voulu le remplacer par un novice plus facile à endormir. Ma poutine arrive juste à temps. Quand je mange, je retrouve mon calme.

Entre deux bouchées, je fais signe à Louis de continuer, et il enchaîne du même souffle :

— Notre délégué apostolique est lui aussi un drôle de pistolet, il jouit d'une position fort enviable. J'ai quelques connaissances, de vieux amis de collège et de l'université qui gravitent dans l'entourage de monseigneur Picotte et j'ai réussi à tirer les vers du nez à deux d'entre eux. Visiblement, ils ne sont pas fous du délégué. Certains sont même très loin de le porter dans leur cœur. La tolérance n'est pas toujours le propre des gens d'Église, au contraire.

— Ce fameux délégué est un prêtre d'origine polonaise, du nom de Steve Détrousky. Au départ, cet illustre inconnu, voué à l'anonymat dans l'Église romaine, doit son avancement à un pape, Polonais lui aussi. Le trafic d'influences constamment en vogue dans le milieu de l'Église a joué en sa faveur.

Je l'interromps, un peu perdue dans ses mots :

— Louis, d'abord, c'est quoi l'anonymat ?

Naturellement, il se moque de mon ignorance :

— C'est sérieux, tu ne sais pas ce que ça veut dire ?

— Non, et je compte sur toi pour me l'apprendre. Je ne suis pas comme toi, je n'ai pas mangé de gâteau au dictionnaire au petit déjeuner ni de céréales à l'alphabet, moi !

Sentant mon impatience, il se reprend et m'explique :

— Rester dans l'anonymat, c'est demeurer un inconnu, une personne ordinaire, tout le contraire d'une célébrité.

Voyant que j'ai compris, il poursuit :

— Parmi les diverses fonctions remplies par Détrousky à Rome, la plus intéressante, en ce qui nous concerne, est celle de conservateur du musée du Vatican. Les caves de ce musée renferment des trésors incroyables. Œuvres d'art, objets religieux, bijoux et manuscrits anciens y sont entassés depuis des siècles, il n'existe nulle part une liste complète et à jour de tout ce qui est enfoui au fond de ces mystérieuses caves. Elles sont dans un état de négligence et de laisser-aller qui convient parfaitement à notre bonhomme.

— Sitôt entré en fonction, Détrousky entreprend la création d'un répertoire complet des trésors du Vatican. Par un curieux hasard, c'est aussi durant cette période que certains prêtres de l'administration commencent à soupçonner la disparition de plusieurs pièces, toutes relativement peu connues et dont ne se rappellent que les prêtres les plus âgés présents quand le musée en a fait l'acquisition. Ces pièces auraient dû figurer sur la liste, compte tenu de leur valeur estimée.

— Minute, minute... tu vas trop vite, fais-je remarquer à mon partenaire qui s'emballe. Explique-moi ce qu'est la valeur estimée.

— C'est le prix qu'on penserait obtenir si on vendait l'objet en question à un collectionneur, dans un encan, par exemple, répond-il tout en reprenant le fil de son récit.

— Naturellement, la rumeur concernant ces disparitions se répand. Dans son dos, les regards se tournent et les doigts le montrent, mais on n'a aucune preuve contre le Polonais.

Le présumé suspect s'en tire blanc comme neige, alors que le pape en personne interdit la poursuite de l'enquête en cours, sous prétexte d'éviter qu'un scandale n'éclabousse le Saint-Siège. Évidemment, du coup, il protège Détrousky, qu'il s'empresse d'affecter à un autre poste. Comme sa présence au Vatican devient embarrassante, mieux vaut le faire oublier un peu. La charge de délégué apostolique est taillée sur mesure pour lui.

Représentant et messager de Sa Sainteté dans tous les pays où l'Église catholique est établie, il est muni d'un passeport international, mais sans immunité diplomatique. On ne soupçonne pas le bon Dieu, quand même !

Le principal mandat de ce délégué est la collecte de fonds pour soutenir le Vatican. Tel un mafioso faisant le tour des bars pour encaisser l'argent de la protection, Détrousky fait la tournée des sanctuaires, récoltant le prix des bonnes grâces du pape.

Voilà tous les renseignements que j'ai pu recueillir pour l'instant, mais j'attends d'autres nouvelles sous peu. Et toi, de ton côté ? termine Louis, la gorge sèche.

J'ai terminé ma poutine grand format et, enfin rassasiée, je lui expose d'abord ma théorie du « voleur venu du ciel », ce qui convient parfaitement à un environnement aussi religieux. Puis je lui raconte mon ascension, mésaventure comprise, et ce que j'ai découvert :

— À mon avis, le cambrioleur est descendu de la voûte et n'a eu qu'à passer la main ou un outil quelconque entre les rayons de l'alarme pour saisir la couronne et la remplacer par une imitation. Tout cela pendant que le gardien dormait paisiblement sous l'effet du somnifère administré par un complice.

En montant sur le toit de la basilique pour vérifier mon hypothèse, j'ai bien vu les fenêtres et les anneaux fixés au cadre pour permettre la mise en place de la passerelle servant à l'entretien de la coupole. De toute façon, je ne vois pas comment on aurait pu déjouer le système d'alarme autrement.

Louis me regarde, stupéfait.

— Géniale ! Tu es géniale, répète-t-il sans cesse. Nous venons de reconstituer le crime et je te donne la suite en mille. Durant ses années d'étude, Détrousky était gymnaste, membre de l'équipe nationale polonaise. Comme il a gagné une médaille aux Jeux olympiques de 1968, on retrouve son nom dans les annales des Jeux, sur le réseau Internet. C'est le parfait candidat pour ce genre de travail. « Le voleur venu du ciel. » Un vrai miracle ! Notre-Dame doit en faire toute une migraine ! Géniale, ma Titine, tu es tout simplement géniale !

Je pense qu'il le fait exprès pour me faire enrager et il y parvient encore ! Je lui réponds d'un ton sec :

— J'admets que c'est assez brillant en effet... et je te trouverais bien brillant, moi aussi, si tu ne m'appelais pas Titine, Chère Loque !

Inutile de lui dire quoi que ce soit, il fait semblant de ne rien entendre. Son orgueil et son entêtement vont finir par lui jouer des tours, mais ce n'est pas le temps de discuter de ces questions aujourd'hui. L'enquête passe avant la famille et, comme dit ma mère, qui a une bonne intuition de ses états d'âme :

— Chaque chose en son temps. Rien ne sert de vouloir traverser la rivière avant d'arriver au pont.

Mardi 12 août, 20 h 30

Nous sortons du café en tentant de chasser le froid laissé par nos dernières paroles et de retrouver notre bonne humeur. Nous n'avons pas fait dix pas sur le trottoir que j'aperçois la fameuse berline noire.

— Attention, elle fonce droit sur nous ! À terre, à terre... s'écrie Louis, qui a le réflexe de me saisir par la manche et de plonger derrière la rangée de boîtes aux lettres alignées sur le trottoir en m'entraînant avec lui dans sa chute.

Incroyable ! On nous tire dessus. Je suis envahie par une onde de choc. Soudain, tout se passe au ralenti. Je reconnais le crépitement saccadé et mortel du fusil-mitrailleur AK 47, l'arme d'assaut russe préférée des bandits et des trafiquants. Louis m'a donné de bons cours sur les armes à feu. Bien inutiles pour l'instant, malheureusement.

Mon cerveau bourré d'adrénaline continue de ralentir le rythme du réel, au point où je crois percevoir les projectiles qui sortent du canon de l'arme automatique. Je les entends percer la première paroi des boîtes aux lettres et s'arrêter sur la deuxième. Nous sommes sauvés par le courrier, un facteur tout aussi imprévu que bienvenu, « un facteur toujours fidèle au poste », dira Louis plus tard, quand l'ouragan sera passé.

Quel cauchemar ! Dans ma tête, cette fusillade résonne sans fin, même si je sais que l'attaque, comme un tremblement de terre, n'a duré que quelques secondes. Mais quelles interminables secondes ! Grâce au ciel, nous nous en tirons indemnes encore une fois, mais il était moins une.

Ces hors-la-loi ne manquent pas d'audace. Nous attaquer en plein après-midi, devant tous ces gens qui déambulent autour de nous. C'est insensé ! Ou ces individus sont complètement fêlés ou bien ce qu'ils veulent cacher vaut encore beaucoup plus cher qu'on ne le pense. Bien sûr, il est inutile de croire que la police n'aura pas vent de cette fusillade. Voici d'ailleurs une première voiture qui rapplique… et c'est reparti pour la grande valse des interrogatoires et des tentatives d'intimidation, mais il n'est pas question de les mettre au courant de nos progrès. De toute façon, pour l'instant, nous ne sommes pas en état de répondre à quelque question que ce soit. Je sens que je suis sur le bord de craquer, de faire une crise… Dès que le niveau de stress descend, je m'effondre.

J'éclate en sanglots en me jetant dans les bras de Louis, qui essaie tant bien que mal de me réconforter, alors qu'il n'en mène pas très large lui-même. On vient d'avoir la frousse de notre vie. Je me sens confuse et perdue. Pour la deuxième fois en deux jours, je veux rentrer à la maison, je veux voir ma mère, me coller contre elle, me réfugier dans un lieu où je me sente à l'abri, protégée… Ça ne me ressemble pas du tout. Je suis une brave, du moins je le croyais… Pour l'instant, j'ai la bravoure étourdie et chancelante. J'ai le goût de vomir… ça tourne, ça tourne… et voilà ! Adieu la poutine italienne, je n'en remangerai pas de sitôt.

Louis me traîne jusqu'à la voiture de police et il m'assoit sur la banquette arrière, la portière ouverte et les pieds pendants à l'extérieur. Un des agents me jette une couverture sur les épaules. Je frissonne malgré la douceur du mois d'août et je reste là, sans bouger, le regard vide. Je ne suis pas sûre de vouloir croire que ce qui vient d'arriver est bien réel.

Malgré la violence de l'attaque et le choc qui en résulte, Louis réussit à garder son calme et à convaincre les policiers qu'il ignore qui sont ces gens dans la berline noire, ce qui est vrai, et il parvient aussi à leur faire croire que nous n'avons aucun nouvel élément d'importance pour éclairer notre enquête. Pourtant, il va de soi que nos recherches ont rapidement provoqué des réactions, ce que n'a jamais réussi à faire la première enquête policière.

— Ne vous en faites pas, termine Louis sur un ton qui se veut cordial et rassurant, s'il y a du nouveau, nous vous préviendrons. Cette fusillade ne visait pas à nous tuer, sinon ils ne nous auraient pas manqués. Ce n'est qu'un avertissement à ne pas pousser plus loin nos investigations, une tentative d'intimidation.

Surtout, il se garde bien d'ajouter que c'est la deuxième depuis notre arrivée et que sans l'aide providentielle des boîtes aux lettres, nous serions bien plus qu'avertis à l'heure qu'il est.

Mardi 12 août, 20 h 20

Finalement, Louis promet aux policiers de demeurer à leur disposition et on nous laisse partir. Il court chercher la voiture et revient me prendre. C'est à peine si je parviens à me traîner d'une voiture à l'autre. Sitôt rentrée au Motel du Phare, je me jette sur le lit et je m'endors. Je suis trop secouée pour faire quoi que ce soit d'autre. Je crois que Louis fait de même... Heureusement, chaque jour suffit sa peine.

Mercredi 13 août, 8 h 30

J'ai fait des cauchemars une partie de la nuit et je me suis battue avec des vilains tout en noir, ce qui me vaut un charmant mal de tête au réveil. En me voyant, Louis s'empresse de s'enquérir de mon état. Il commence à croire qu'il m'entraîne dans des aventures vraiment insensées, comme dirait ma mère, et son inquiétude grandit d'heure en heure

— Alors, comment va ma Titine ce matin ? me demande-t-il avec un grand sourire qu'il veut enveloppant et réconfortant.

Malgré ses gestes affectueux, j'ai les nerfs en boule et ma réaction ne se fait pas attendre :

— Je te l'ai dit cent fois, je déteste que tu m'appelles comme ça, vieille Loque pas Chère !

Du même coup, je lui jette un regard de travers qui lui fait dire :

— Si tes yeux étaient des fusils, il me faudrait plus qu'une boîte aux lettres pour me protéger, ce matin !

Sur ces mots, il éclate de rire. J'hésite une fraction de seconde, puis je me laisse aller à mon tour. Soudainement, l'air redevient moins lourd et la vie reprend son cours. On ne peut faire le métier de détective sans penser qu'on risque fort de se faire tirer dessus un jour ou l'autre. Il faut croire en son étoile, sans doute celle-là même qui nous a sauvés la veille.

Parlant de veille, je n'ai rien avalé depuis l'incident et un petit creux commence à faire du gargouillis dans mon estomac. Si j'ai faim, c'est que je vais bien et ma Chère

Loque est rassurée. Rien de mieux qu'un bon petit déjeuner pour finir de remettre nos émotions à leur place.

Confortablement installés dans la salle à manger du Motel du Phare, nous profitons de ce moment de tranquillité pour faire le point sur notre enquête. Pas question d'abandonner l'affaire à ce stade-ci, mais il va falloir jouer de prudence. Ces bandits nous ont montré qu'ils ne plaisantent pas et dorénavant, il va falloir avancer avec des yeux dans le dos et tout le tour de la tête. Il nous reste encore un bon bout de chemin à parcourir et les vilains risquent de nous attendre au détour. Nous devrons être constamment sur nos gardes et exercer une vigilance de tous les instants. Eux nous connaissent avec certitude, mais pas nous... De plus, malgré ce que nous croyons savoir, à moins d'un fait nouveau imprévu, je crains que nous soyions dans une impasse...

Nous avons une théorie qui semble fondée et qui tient sûrement la route, nous avons un suspect qui semble être le coupable parfait, mais ça ne suffit pas ! Nous n'avons aucune certitude, aucune preuve. Alors impossible d'accuser qui que ce soit. Il faut prendre le cambrioleur en flagrant délit ou, encore, en possession des pierres. Ici, il est trop tard pour l'attraper la main dans le sac et, comme c'est le délégué que nous soupçonnons, il est difficile de le fouiller, ni lui ni ses affaires. À ce moment-ci de la partie, nous sommes clairement dans un cul-de-sac. Si aucun fait nouveau n'intervient pour débloquer l'affaire, il ne nous restera plus qu'à plier bagages et à rentrer bredouille. Malgré tous les dangers, ça me désolerait au plus haut point. Il faut arriver à prendre ces filous sur le fait.

Louis semble aussi perplexe que moi. Il est silencieux depuis un moment, plongé dans ses pensées. Il cherche un moyen, une porte où frapper pour faire rebondir l'affaire, mais il ne distingue rien pour l'instant. Nous déclarons forfait pour la matinée et nous rentrons à notre chambre. Un petit congé ne nous fera que du bien et, tout en relaxant, nous pourrons réfléchir à notre enquête avec un peu plus de recul.

— Il faut garder confiance, ma grande, dit Louis, en me prenant affectueusement par les épaules. Il y a sûrement une ouverture quelque part, une fissure dans le mur, une fente dans le plancher. Il suffit de mettre le doigt dessus... ou dedans.

Mercredi 13 août, 10 h 10

Nous avons à peine le temps de prendre nos aises que la sonnerie du téléphone se fait entendre. Je gagerais que notre petite matinée de repos vient d'être frappée de mort subite. L'appel provient d'une connaissance de Louis, qu'il emploie à l'occasion comme informateur. Depuis le temps qu'il exerce ce métier, je crois que Louis entretient ce genre de relations dans toutes les métropoles du monde. Il maintient un contact sporadique avec ces gens sans visage et sans nom qui, Dieu sait comment, sont au courant de tout ce qui se passe en ville et vendent leurs renseignements au plus offrant. En désespoir de cause, il a recours à leurs services.

Je ne vois jamais Louis les appeler, mais il laisse courir le mot dans la rue. Quelques indications chuchotées à un barman, une petite note à un restaurateur… et par hasard quelqu'un l'appelle. Bien sûr, c'est le genre de personne qui refuse de divulguer ses renseignements au téléphone. Ils veulent tous voir la couleur de l'argent d'abord. C'est normal dans ce métier, alors nous acquiesçons à la demande.

Mercredi 13 août, 11 h 25

L'informateur nous attend, caché dans la ruelle, derrière un restaurant douteux, et lorsque nous l'approchons, sa première question est, bien entendu :

— Vous avez l'argent, je peux le voir ?

Louis lui passe la liasse de billets sous le nez, puis les remet dans sa poche. C'est à son tour de poser ses exigences :

— D'abord les renseignements, ensuite l'argent ! Au prix demandé, tu ferais mieux d'avoir des tuyaux qui valent le déplacement. On t'écoute, vas-y !

— Je crois savoir où se trouve une personne que vous aimeriez bien rencontrer, reprend le bonhomme avec un rictus déguisé en sourire. L'annonce catastrophique, le délégué apocalypse, enfin le machin chose du pape est, au moment où je vous parle, en train de défaire sa valise au sanctuaire du Saint-Rosaire-de-Grandpré. C'est à croire qu'il court après les miracles !

— Eh bien, on va lui faire voir tout un miracle, rigole Louis en remettant l'argent à l'informateur, qui disparaît dans la ruelle.

L'espace d'une fraction de seconde, une lueur de vengeance illumine les yeux de Louis. Il a un petit côté rancunier et comme il n'a pas digéré l'attaque des boîtes aux lettres, il se promet bien de faire payer les coupables.

Les informations que nous venons de recevoir ont ramené sa bonne humeur habituelle, voire son enthousiasme, mais elles sont demeurées impuissantes face à son manque total de tact. Il ajoute à mon intention :

— Alors, c'est reparti, ma Titine !

Le mot lui a échappé, mais il s'en mord déjà les lèvres.

— Excuse-moi, ma belle Suzie…

Je lui pardonne pour cette fois, mais c'est bien parce qu'il s'est excusé et parce que c'est mon père. Un autre que lui aurait vite appris comment je m'appelle !

Mercredi 13 août, 12 h 35

Sans perdre une minute, nous retournons au Motel du Phare. En deux temps, trois mouvements, nos bagages sont faits, la note est réglée et nous prenons la route, destination Grandpré et le sanctuaire du Saint-Rosaire. Que le grand Œil soit avec nous !

5. Le piège est tendu

Sur la route, mercredi 13 août, 14 h 45

Il fait un temps superbe, et nous roulons en silence. Je laisse mes pensées défiler dans ma tête comme les images d'un film. Certaines passent au ralenti, d'autres en accéléré. Les points saillants de notre enquête se classent ainsi par ordre d'importance, et j'y vois plus clair. Au bout d'un moment, l'heure du lunch sonne dans mon estomac et nous faisons un court arrêt, le temps de refaire le plein

En cette fin d'après-midi du mois d'août, la lumière coule du soleil comme une rivière d'or, et nous roulons doucement pour en profiter au maximum. À cette époque de l'année, bien des gens sont encore en vacances. La route est achalandée, mais la circulation demeure fluide.

— Qu'est-ce que c'est ça ?

Louis et moi, nous sursautons en chœur. Finie la quiétude de la promenade. Nous sommes brutalement ramenés à la réalité. L'horrible berline noire vient de nous donner une méchante poussée dans le derrière. Ces bandits connaissent toutes nos allées et venues. Ils ne nous lâchent pas d'une semelle. Stupéfait par le premier assaut, Louis a bien failli perdre la maîtrise du volant. Profitant de l'effet de surprise, les bandits répètent leur manœuvre, faisant valser dangereusement notre voiture.

Sans nous laisser le moindre répit pour reprendre nos esprits, la berline s'élance dans la voie de gauche pour tenter de nous sortir de la route. Dans ce duel mécanique, on n'a aucune chance, on ne fait pas le poids.

— Pas de panique... pas de panique, se répète Louis en serrant le volant de toutes ses forces. Du calme, on va s'en tirer. Tiens-toi bien, ma Titine, ça risque de brasser pas mal fort !

Je suis littéralement paralysée de frayeur. Au point de ne pas réagir à l'horrible surnom. C'est tout dire ! Cette fois-ci non plus, il ne s'agit pas d'un simple avertissement. Plus j'y pense, plus je suis terrifiée.

Dans ma tête, j'imagine la mort tragique du vieux gardien de nuit. Il a été plus qu'averti. Il a reçu un avis permanent et, maintenant, c'est à notre tour. Nous roulons entre deux sanctuaires, mais je n'ai pas le goût de prier. Je ne saurais pas comment d'ailleurs. Je me dis plutôt qu'il faut absolument échapper aux malfaiteurs et leur faire payer leurs agressions.

Louis est un excellent conducteur et son attitude me rassure tout de même un peu. Mon courage reprend des forces, mais je ne vois pas comment on peut s'en sortir. Leur voiture est beaucoup plus lourde et beaucoup plus puissante que la petite voiture de Louis. C'est David contre Goliath.

Ils sont presque à notre hauteur. Le conducteur de la berline pousse l'accélérateur tout en braquant ses roues dans notre direction. L'impact projette la voiture sur la voie d'accotement. Louis parvient à la redresser juste à temps pour recevoir une autre poussée. Il réussit à garder la route une seconde fois et il lève le pied de l'accélérateur pour éviter une troisième poussée fatale. Prenant alors les bandits par surprise, il leur rentre dedans à son tour.

L'audace a bien failli les mettre hors de combat, les envoyer au fossé. Seul le poids de leur bagnole les a sauvés d'une visite non guidée du terre-plein. Ce jeu du chat et de la souris ne peut cependant durer très longtemps. Tôt ou tard, on verra la mort. Curieusement, en ce moment, nos assaillants se contentent de demeurer à notre hauteur, et Louis en est à se demander ce qu'ils attendent pour nous envoyer paître dans le fossé une bonne fois pour toutes. Il craint qu'ils ne se mettent à nous tirer dessus, ce qui serait absolument mortel, quand il voit le panneau de signalisation annonçant une rivière à cinq cents mètres.

Horreur, ces criminels veulent nous mettre au foin et à l'eau en même temps. Cette fois, ils veulent se débarrasser de nous pour de bon, comme ils se sont débarrassés du pauvre gardien, sans le moindre scrupule. C'est compter sans la présence d'esprit de Louis.

Maintenant qu'il connaît leur plan, il peut agir en conséquence. Tout en surveillant le côté de la route, il ralentit suffisamment pour que les voitures qui roulent derrière nous se rapprochent rapidement. La berline noire demeure toujours à notre hauteur.

Parfait, se dit Louis qui ralentit encore. Un bouchon est en train de se former derrière nous, les premiers klaxons commencent à se faire entendre. Louis guette le moment propice. Quand il voit un bout de fossé pas trop escarpé, il accélère subitement et distance la berline d'une longueur. Sans avertissement, il braque les roues et nous jette hors de la route. Nous disparaissons dans les quenouilles et les roseaux, parfaitement camouflés, alors que les voitures derrière nous accélèrent et se précipitent dans l'ouverture ainsi créée, formant du même coup un écran entre nous et la berline.

Louis a choisi exactement la bonne seconde. L'atterrissage dans le fossé est plutôt chaotique, mais nous nous arrêtons enfin à quelques dizaines de mètres du cours d'eau, dans la boue jusqu'aux essieux et les quenouilles jusqu'aux yeux.

Ouf ! il était moins une encore une fois, mais la berline est passée et avec un peu de chance, les vilains nous croient dans la rivière ou, à tout le moins, hors d'état de nuire pour un bon moment, ce qui est tout à fait génial. Si on peut sortir du fossé assez rapidement, on aura quelques heures devant nous pour finir nos préparatifs sans être embêtés...

Mercredi 13 août, 16 h 20

Encore faut-il se rendre à destination. Un automobiliste charitable signale notre embardée et une dépanneuse apparaît presque aussitôt. Selon son conducteur, sortir notre voiture de la boue va nécessiter des heures de travail. En réalité, nous ne disposons pas de tout ce temps.

C'est là que j'ai l'idée la plus brillante de la journée. Je suis moins secouée par la poursuite que je ne l'ai été par la fusillade et j'arrive encore à réfléchir. Je pense que ça doit aussi faire partie de mon apprentissage : affronter le danger sans perdre les pédales, sinon adieu le métier de détective ! Tout en m'efforçant de rester calme, je fais part de ma solution à Louis :

— C'est tout ce qu'il y a de plus simple. Nous allons louer la dépanneuse pour reprendre la route. Son conducteur restera ici avec notre voiture. À la première cabine téléphonique venue, nous appellerons une seconde dépanneuse pour venir les prendre tous les deux.

Quant à nous, une fois à Saint-Rosaire, nous n'aurons pas besoin de voiture. Alors, en arrivant, nous laisserons la dépanneuse à son garage et nous passerons reprendre notre voiture en quittant la place.

Louis trouve l'idée fabuleuse et il la répète au conducteur de la remorque.

D'abord méfiant, l'homme a un peu de difficulté à saisir la logique de l'affaire. Il comprend mal l'échange et refuse. Cependant, les billets verts jouissent d'un étonnant pouvoir de persuasion. À mesure qu'ils s'empilent sur le capot de son véhicule, les quelques explications supplémentaires que nous fournissons au conducteur deviennent très, très claires et ses craintes se dissipent. Finalement, le marché est conclu. Le temps de transférer nos bagages dans le camion et nous repartons, incognito, sous les apparences d'une équipe de dépannage. Vraiment, vraiment génial !

Saint-Rosaire, mercredi 13 août, 18 h 5

Le reste de la route n'est qu'une formalité. Nous débarquons à Saint-Rosaire-de-

Grandpré en début de soirée. Nous descendons dans un petit hôtel ni trop voyant ni trop cher, à quelques rues du sanctuaire. Le tenancier trouve un peu étrange ce couple qui voyage en dépanneuse. Un homme d'âge mûr, en compagnie d'une si jeune fille, il y a là de quoi éveiller bien des soupçons. Une fois de plus, les billets verts, dont Louis semble avoir en poche une réserve inépuisable, parlent pour nous. Ces petites coupures de papier ouvrent les portes mieux qu'aucune clef ne saurait le faire. Un très généreux pourboire et le tour est joué. Comme passe-partout, on a rarement vu mieux !

Une fois nos bagages rangés, Louis reconduit la dépanneuse au garage, tel que convenu. Pendant ce temps, je tente d'appeler ma mère. Je souhaite qu'elle soit encore au chalet. Comme ça, je n'aurai pas à lui cacher les dangers auxquels nous avons échappé. Rien qu'au timbre de ma voix, elle sentirait que je dissimule quelque chose et je passerais un mauvais quart d'heure. Youpi, c'est le répondeur ! Je lui laisse nos nouvelles coordonnées, avec un minimum d'explications et c'est réglé.

Louis revient et nous marchons jusqu'au sanctuaire du Saint-Rosaire en nous faufilant le plus discrètement possible le long des rues sombres et mal éclairées. Nous avons pris rendez-vous au téléphone avec le révérend père Bénitier, supérieur de l'endroit.

Mercredi 13 août, 19 h 20

De nouveau, nous sommes accueillis comme des intrus. Il semble que les membres du clergé n'aiment pas qu'on marche dans leurs plates-bandes et qu'ils entretiennent tous leur propre loi du silence, une sorte d'omerta religieuse. Les faits et gestes des gens d'Église doivent rester cachés et connus d'eux seuls. Chacun protège le secret, voire le crime de chacun et la vérité en prend souvent pour son rhume, ce qui fait tempêter ma Chère Loque. Il en a contre toutes les formes d'hypocrisie et de malhonnêteté et ne peut s'empêcher de les dénoncer. Le révolutionnaire de sa jeunesse est encore bien vivant en lui.

Le révérend, donc, nous ouvre sa porte sur un ton bourru, mais il a au moins la décence de nous inviter à nous asseoir et il nous offre même à boire, jus pour moi et café pour Louis. Mon ventre crie famine, mais il doit attendre.

Sans perdre de temps, nous traçons au père supérieur les grandes lignes de l'affaire telle que nous la comprenons en ce moment. Il nous écoute attentivement, mais sans enthousiasme. La crainte de voir son sanctuaire mêlé à une histoire de trafic de pierres précieuses et les risques de scandale que cela comporte planent au-dessus de sa tête comme un gros nuage noir. Si ce n'était de l'insistance avec laquelle monseigneur Picotte, lui a demandé de nous recevoir, il nous aurait envoyés promener.

Forcé de nous écouter, il comprend tout de même notre sens de l'urgence. Les bandits nous croient loin d'ici, et il y a de grands risques qu'ils en profitent pour agir cette nuit. Le ciel sera noir, sans lune, ce qui est idéal quand on veut rester dans l'anonymat, comme dirait Louis, même en montant sur le toit d'une basilique.

Le révérend Bénitier peut très bien imaginer ma théorie du « voleur venu du ciel », mais il demeure un peu sceptique. Il nous confirme toutefois la présence de fenêtres dans la coupole de la basilique, de même que celle d'une échelle fixée au toit, qui permet de les atteindre. Du coup, il nous évite une escalade dont je préfère me passer. En fin de compte, la configuration de la basilique du Saint-Rosaire est sensiblement la même que celle de Notre-Dame-du-Phare. On devrait donc s'y retrouver assez facilement.

Politesse oblige, plus résigné que d'accord, le père Bénitier nous offre son entière collaboration. Tout en le remerciant, nous tâchons de lui faire comprendre que ce qu'il peut faire de mieux, c'est de ne rien faire du tout. Ne pas mentionner notre présence à qui que ce soit et ne rien changer au rituel du sanctuaire.

Mercredi 13 août, 21 h 15

Quant à nous, nous allons nous reposer un moment. Mais avant tout, il faut manger une bouchée. Je ne suis pas encore prête à renouer avec la poutine italienne, loin de là. Heureusement, il y a de la quiche au menu. Ce ne sera sans doute pas celle de ma mère, mais ça ira. Louis me jette un regard inquiet, mais mon sourire le rassure. L'esprit en paix, il s'empresse de commander son club sandwich habituel et de sortir son éternel pot de mayonnaise. Un cas complètement désespéré !

Après ce repas tout à fait exotique, nous rentrons à l'hôtel. Nous avons environ une heure à perdre avant de nous rendre à la basilique. Je m'étends pour relaxer pendant que Louis, au téléphone, s'enferme dans la salle de bains. Je ne sais pas ce qu'il manigance, mais il y passe l'heure au complet et il refuse de me dire quoi que ce soit. Quand j'insiste, tout ce qu'il me répond, c'est :

— T'es trop curieuse, ma grande. Un peu de patience et tu verras bien.

Ce que je vois pour l'instant, c'est surtout l'étincelle pleine de malice qui brille dans ses yeux. Il a l'air d'un gamin qui vient de faire un mauvais coup et qui en est très fier. Des fois, je pense qu'il ne vieillira jamais.

6. Le piège se referme.

Mercredi 13 août, 23 h 5

J'aurais beau insister toute la nuit, il ne me dirait rien de plus. De toute façon, finies les discussions, il est l'heure de passer à l'action, alors allons-y ! Vêtus de noir, nous nous rendons à la basilique en rasant les murs.

En sortant, j'ai remarqué la bosse sous le manteau de Louis. Il a pris son pistolet. À ce jour, il ne s'en est servi que pour tenir des suspects en respect au moment de les arrêter. Il n'a jamais tiré sur qui que ce soit, mais je n'aime pas ça. D'un autre côté, compte tenu des bandits auxquels nous avons affaire, il n'a pas le choix. Tant pis, c'est la vie.

Déguisés en ombres, nous atteignons la basilique où le gardien de nuit, un homme d'âge mûr à l'allure plutôt sympathique, n'attend que nous pour fermer la dernière porte.

Réunis dans le réduit qui lui sert de bureau, nous lui brossons un tableau rapide de la situation. Puis Louis lui fait trois recommandations bien précises : primo, ne pas boire de café, même s'il y en a un pot en permanence sur le comptoir de son bureau ; deuxio, s'il perçoit la présence d'intrus ou quoi que ce soit d'anormal, faire aussitôt semblant de dormir comme s'il avait avalé un somnifère et ce, jusqu'à ce que Louis ou moi allions le réveiller.

S'il s'agit de quelqu'un d'autre, ça veut dire que nous ne maîtrisons plus la situation. À ce moment-là, qu'il agisse selon son propre jugement. Tertio, et c'est là que Louis me laisse dans le noir, s'il entend Chère Loque s'étouffer et tousser à s'en cracher les poumons, il doit sortir de son bureau sans être vu, se rendre à l'appareil téléphonique le plus près et composer le numéro que mon partenaire lui tend à l'instant. Il lui suffira alors de dire « Ça presse » et de raccrocher.

Je ne vois toujours pas ce que Louis mijote et je ne comprends rien à cette dernière consigne. Aurait-il dévié de ses règles et mis la police sur un pied d'alerte ? Ce n'est vraiment pas son genre. Il redouterait de les voir intervenir dans notre enquête. Je suis sûre qu'il nous ménage une surprise, mais il est trop tard pour lui en reparler. Louis revoit les signaux deux ou trois fois avec le gardien, histoire de s'assurer que le bonhomme a bien compris, puis on va se poster en faction...

— Et non en fraction... mais pour surprendre l'infraction, chuchote Louis en riant.

Il m'énerve !

Jeudi 14 août, 1 h 10

Cette attente dans l'immobilité la plus totale me donne des fourmis dans les jambes. En même temps, les questions n'arrêtent pas de valser dans ma tête. Est-ce ce soir que Détrousky tentera de voler le saint rosaire de Notre-Dame du même nom ? Ce joyau est un long chapelet triple comme celui que ma grand-mère utilisait tous les jours pour réciter ses prières, assise à la fenêtre, le regard perdu dans le bleu du ciel. La seule différence, c'est que les grains du chapelet de ma grand-mère étaient en bois et ne valaient presque rien, alors que ceux du chapelet de Notre-Dame sont des perles noires, une rivière de perles noires, plus de cent cinquante de ces petites pierres rares qui valent une véritable fortune. Sans compter la superbe chaîne en or sur laquelle elles sont montées. En cours de route, Louis m'a raconté d'où provenait ce bijou unique au monde.

Il a été donné à la basilique par un riche pèlerin américain qui disait avoir été guéri par miracle. Au grand étonnement des médecins, il avait retrouvé l'usage de ses jambes, paralysées à la suite d'un accident de voiture. Son fauteuil roulant est d'ailleurs accroché au mur, au milieu d'une collection de cannes, de béquilles et de fauteuils ayant appartenu à des miraculés. Ce tableau ressemble presque en tous points à celui de Notre-Dame-du-Phare. Même la statue de Notre-Dame-du-Saint-Rosaire occupe sensiblement la même place dans le décor. Les vendeurs de miracles sont comme les chaînes de restaurants. Ils suivent tous le même modèle.

Ça doit bien faire l'affaire de gens comme Détrousky. Je me demande ce qu'il fera avec le saint rosaire. Ce précieux trésor doit déjà être vendu à un riche collectionneur quelque part dans le monde, et le délégué se fera un plaisir de lui livrer l'objet de convoitise dans sa valise diplomatique. Ou bien va-t-il le démonter et créer d'autres bijoux avec les perles ? J'imagine des bracelets, un collier, des boucles d'oreille, tout un tas de bijoux en perles noires. Super !

Je rêvasse pendant que les heures passent. Blottie derrière un banc de l'église, l'attente est terriblement longue et inconfortable. En l'absence de la lune, les étoiles sont maîtresses du ciel. J'en vois une ou deux à travers la coupole. Elles observent le silence nocturne comme les bougies dans la basilique, qui projettent juste assez de lumière pour faire danser les ombres sur les murs.

Jeudi 14 août, 3 h 55

Je tombe de sommeil et je souhaite que ce soit partie remise. Je cogne des clous et ma tête tombe lourdement sur ma poitrine. Je rêve d'un grand lit, je suis juste au-dessus, suspendue sur une échelle de corde… une échelle de corde… où suis-je ? Je n'ai rien entendu, mais je vois l'échelle qui achève de se dérouler juste au-dessus de la tête de la statue. Je suis instantanément réveillée, un flot d'adrénaline se répand dans mon corps et je jette un coup d'œil à Louis, tout près de moi, qui me fait signe de son pouce levé vers la coupole de la basilique. Je ne me suis pas trompée…

Dans l'obscurité, je distingue la silhouette d'un homme aux larges épaules qui descend lentement avec un minimum de mouvements, évitant ainsi presque tout balancement de l'échelle. Ce n'est visiblement pas sa première expérience avec cet instrument. Tout vêtu de noir, il porte une cagoule et des lunettes de vision nocturne qui le rendent impossible à identifier. Ce genre de lunettes, sensibles à la chaleur, lui permettent de voir les faisceaux laser du système d'alarme, un système standard semblable à celui de Notre-Dame-du-Phare.

Les yeux rivés sur le cambrioleur aérien, Louis et moi on se fait le plus invisibles possible derrière notre banc. Parvenu au dernier barreau de l'échelle, l'homme s'assoit habilement dessus et sort d'un petit sac à dos ce qui se révèle être une fine pince-monseigneur télescopique et un minuscule marteau pointu, à long manche. On dirait des instruments de chirurgie que l'homme manie avec une précision de maître. C'est la seule approche possible, compte tenu de la position du système d'alarme. Glissant la pince et le marteau entre les mailles d'un filet invisible à nos yeux, il saisit le rosaire. D'un coup de marteau sec et précis, il fait sauter un petit éclat de la main de la statue, juste assez pour libérer le rosaire. Il n'a plus qu'à le retirer sans toucher aux rayons de l'alarme. Un jeu d'enfant !

Je retiens mon souffle tout le temps que dure l'opération, fascinée par l'artiste à l'œuvre. Après avoir fait main basse sur le précieux rosaire, il le fait disparaître au fond d'une des pochettes de son sac, d'où il tire un rosaire identique au premier, mais dont les grains, j'imagine, sont en verre sans la moindre valeur.

Il n'y a aucun doute, cette opération, tout comme celle de la couronne, a été préparée minutieusement et de longue date.

Délicatement, le cambrioleur glisse le faux rosaire entre les faisceaux de l'alarme. Il n'a plus qu'à ranger ses outils. Je me retourne vers Louis, qui a maintenant son pistolet à la main. C'est le temps de passer à l'action. Il bondit hors de la pénombre, braquant son arme sur l'homme surpris, qui reste figé.

— Ne bougez plus, je vous arrête pour cambriolage, attaque à main armée et tentative d'assassinat. Maintenant, descendez de l'échelle lentement, en laissant vos mains bien en vue.

Sous la menace du pistolet, le cambrioleur obéit à Louis, qui lui ordonne ensuite de déposer son sac à dos sur le sol et de reculer de quelques pas. L'homme s'exécute et je me précipite pour ramasser le butin quand une voix froide comme l'acier résonne dans mon dos.

Jeudi 14 août, 4 h 35

— Laisse ça, petite, et toi, lâche ton arme, dit-elle entre ses dents. Vous ne pensiez tout de même pas que vous alliez réussir à nous surprendre. Il faut plus qu'un détective sur son retour d'âge et une fouine prétentieuse pour nous arrêter. C'est vous qui êtes en état d'arrestation, ajoute-t-elle en ricanant méchamment.

Soudain, j'ai un énorme nœud dans l'estomac. Après l'assaut au fusil mitrailleur et l'attaque sur la route, ces criminels sont capables de tout, y compris de nous assassiner de sang-froid. Heureusement, ils n'ont pas l'air de sentir le besoin de recourir à pareille extrémité, ce que nous confirme la suite des événements.

— Toi, dit la voix en s'adressant à son comparse, tu ramasses son arme et ton sac, puis tu emmènes ces deux-là en bas, dans le coin le plus reculé possible. Tu les attaches et tu les bâillonnes. D'ici à ce qu'on les retrouve, nous serons loin.

Quelle grossière erreur ! Nous avons compté sans le complice ! La complice, devrais-je plutôt dire. Elle est derrière moi et je ne la vois pas, mais sa voix ne m'est pas inconnue. Alors que l'homme commence à sortir de son sac le matériel qui nous rendra hors d'état de nuire, la femme s'avance dans la lueur des bougies.

Louis et moi, nous restons bouche bée. Devant nous se tient, pistolet en main, nulle autre que mère Irène Delacroix, supérieure du sanctuaire de Notre-Dame-du-Phare. Elle a l'air de tout sauf d'une religieuse. On dirait plutôt une panthère aux yeux de glace. L'absence de cornette lui va très bien, mais si elle n'est plus religieuse, elle est toujours supérieure.

Visiblement, c'est elle qui commande l'opération. Très sûre d'elle, elle nous relate sa version des faits.

N'ayant pu confirmer à cent pour cent comment s'était terminée notre petite balade dans le décor de la route, elle n'avait pas voulu courir de risque. Deux précautions valent mieux qu'une. Elle était persuadée qu'à moins de blessures très sérieuses, nous ferions l'impossible pour arriver à Saint-Rosaire-de-Grandpré avant la nuit. Si tel était le cas, il est bien évident que nous tenterions d'empêcher le cambriolage.

Le vol était bel et bien prévu pour cette nuit et elle avait passé la soirée attablée à la fenêtre d'un restaurant, tout près de la basilique. Elle nous avait vus arriver chez le père Bénitier, repartir, puis revenir à la basilique. Elle connaissait une autre entrée au sanctuaire, par la sacristie, et depuis longtemps, elle cachait une clé de cette entrée. Elle s'était donc faufilée à l'intérieur, alors que nous étions encore à discuter avec le gardien. Et plus tard, alors qu'il faisait sa dernière ronde, elle avait pu verser un somnifère dans son café.

Nous étions trop préoccupés à surveiller la statue de Notre-Dame-du-Saint-Rosaire pour nous rendre compte de quoi que ce soit. Quant au gardien, il doit sans doute dormir dur comme fer à l'heure qu'il est. Pour parer à toute éventualité, mère Irène s'est ensuite confortablement installée dans un confessionnal en attendant l'heure de passer à l'action.

À l'écouter, j'ai soudainement un pincement au cœur. Elle est arrivée pendant que nous parlions avec le gardien et elle a pu entendre notre conversation. Si tel est le cas, nous sommes perdus. J'espère seulement que le gardien de nuit a bien suivi toutes les consignes de Louis jusqu'ici, entre autres celle concernant le café. C'est peut-être notre dernière chance.

Je me rassure tant bien que mal quand une autre surprise désagréable nous tombe dessus. Avant de nous conduire au sous-sol, le comparse de mère Irène enlève sa cagoule et la mâchoire nous décroche ! Ce n'est pas Détrousky, mais alors là, pas du tout. C'est le jeune gardien de sécurité de Cap-au-Phare. Lui et la mère supérieure nous ont joué une belle comédie. On s'est laissé berner par ces deux escrocs, pensant toujours avoir la situation bien en main. Le jeune homme nous regarde avec un rire moqueur :

— Vous ne vous attendiez pas à celle-là, n'est-ce pas, dit-il sur un ton railleur. Vous avez encore des croûtes à manger si vous voulez nous attraper ! Vous ne valez pas plus cher que la police ! Ah, ah, ah…

Jeudi 14 août, 5 h 5

Complètement estomaqué, Louis avale sa salive de travers et s'étouffe royalement. Il tousse et s'époumone à fendre l'âme. Il est pris de tels soubresauts qu'il en perd son fameux chapeau. Je lui tape dans le dos tandis que les deux voleurs nous regardent avec méfiance, craignant une ruse quelconque. Enfin la crise passe, et l'homme finit de nous ligoter les mains derrière le dos. Il remet le feutre sur la tête de Louis d'un geste faussement poli, puis il nous pousse ensuite jusqu'au coin le plus reculé de la crypte où il nous immobilise les pieds et nous bâillonne. Plus moyen de bouger ni d'appeler à l'aide. Nous voilà dans de beaux draps. Je me tourne vers Louis qui soulève les épaules en signe d'impuissance. Nous sommes pris comme des rats.

Pendant ce temps, le couple se prépare à partir. À la lueur vacillante des bougies, l'homme laisse entrevoir ses traits plutôt attachants, c'est le cas de le dire ! Il a l'air tellement innocent qu'on le jurerait au-dessus de tout soupçon, ce qui est arrivé d'ailleurs.

Sans dire un mot, lui et la fausse révérende mère qui, elle, n'a rien d'innocent, se dirigent vers la sortie d'un pas alerte et tout à fait dégagé. Ils laissent même l'échelle pendre derrière eux, témoin insolent de leur réussite. Ils se sentent bien à l'aise. Dans quelques petites heures, ils seront hors de portée de la justice, et nous ne pouvons rien faire pour les arrêter. C'est l'enfer ! Nous sommes pieds et poings liés, enfermés dans la crypte de la basilique, avec pour seul espoir un gardien de nuit qui est peut-être endormi, s'il n'est pas complice des deux voleurs. Maintenant, dans cette histoire, plus rien ne peut me surprendre.

7. Faites un sourire !

Jeudi 14 août, 5 h 30

Le cœur léger, porté par une incomparable sensation de richesse, le couple se dirige vers la petite porte de côté qui sert de sortie de secours aux gardiens. C'est la seule porte de la basilique qui s'ouvre de l'intérieur sans clé et qui se referme automatiquement. Ils l'ouvrent doucement, sans faire de bruit, quand ils sont soudain assaillis par un orage de projecteurs et une meute de caméras. Dans les premières lueurs de l'aube, ils essuient le feu nourri des mitrailleuses à flashs. Éblouis, aveuglés, ils tentent de se protéger les yeux, mais au même moment, des microphones sont pointés sur eux et les questions fusent de toutes parts.

— Avez-vous réussi à vous emparer du saint rosaire de Notre-Dame ?

— Peut-on le voir ?

— Est-ce vrai qu'il est déjà vendu à un collectionneur étranger ?

— Est-il exact que vous avez aussi réussi à cambrioler les joyaux de la couronne de Notre-Dame-du-Phare ?

— D'après vous, combien vaut l'Œil de Colomb ?

— Comment comptez-vous lui faire passer les frontières ?

— Est-ce que l'on peut acheter les droits exclusifs de votre histoire ?

Les deux voleurs sont complètement désemparés. Ils sont entourés d'une bonne vingtaine de journalistes, de photographes et de cameramans qui les retiennent prisonniers à la porte de la basilique. Impossible de forcer le cercle et encore moins de sortir une arme devant la meute qui les entoure. Ils seront à la une de tous les médias du lendemain, et leur carrière sera compromise à tout jamais.

Les deux escrocs voient bien qu'il vaut mieux se rendre et plaider coupable de vol, quitte à faire quelques années de prison et s'en tirer sans trop de dégâts. De cette façon, ils échapperont à des accusations plus graves et surtout, à des sentences plus sévères. Ils échangent un rapide coup d'œil résigné et abandonnent la partie au moment même où une première voiture de police, alertée par les journalistes, arrive sur les lieux. En quelques minutes, la place de la basilique est encerclée et tout le périmètre est bouclé. Une dizaine de gyrophares jettent leurs reflets électriques dans l'aurore encore pâlotte et sur les visages fermés du couple de malfaiteurs. Le duo est aussitôt embarqué et conduit au poste.

C'est à ce moment-là que nous sortons à notre tour, libérés de nos liens par le gardien de nuit qui, soit dit en passant, a parfaitement accompli son travail. C'est bon de savoir qu'il existe encore des gens honnêtes et fiables. Nous exerçons un métier où l'on en rencontre très peu. En franchissant la porte, nous sommes à notre tour pris à partie par les journalistes, qui réclament tous les détails de l'affaire. Je réalise alors ce que Louis préparait, enfermé dans la salle de bains avec le téléphone.

Il ne voulait pas que la police intervienne avant que nous n'ayons pris les coupables la main dans le sac. Ces « patibulaires » risquaient de donner l'alerte aux criminels et de saboter l'opération. Alors, pour éviter un cafouillage... (C'est un mot que Louis vient de m'apprendre, ça veut dire, quand ça va mal, quand ça se passe tout croche.) ...il a alerté un de ses amis journalistes et organisé une conférence de presse à l'intention toute spéciale des voleurs.

Quelle idée brillante ! Louis est peut-être sur son retour d'âge, mais son cerveau n'est pas sur un retour d'intelligence. Je n'en reviens pas ! Toute la presse était en attente à deux pas du sanctuaire, et il suffisait du coup de fil du gardien pour tout déclencher. Le même journaliste, après le signal, se chargeait aussitôt de prévenir la police. Tout était merveilleusement orchestré.

— Génial !

C'est tout ce que je trouve à dire à Louis, qui essaie de nous sortir au plus vite du tourbillon qui nous entoure. Comme d'habitude, on se cache la figure au maximum et Louis, son feutre enfoncé jusqu'aux yeux, répète sa rengaine coutumière :

— Pas de commentaires, pas de commentaires !

La visibilité et la notoriété ne sont pas des atouts dans notre métier. Nous opérons dans l'ombre et nous tenons à y rester. De plus, notre journée n'est pas encore terminée. On doit se rendre au poste de police de Saint-Rosaire-de-Grandpré et faire un rapport complet et détaillé de notre enquête, rapport qui s'ajoutera au dossier de la police et dont recevront copie le Service de police et la direction du sanctuaire de Cap-au-Phare, de même que la direction du sanctuaire du Saint-Rosaire et, enfin, le bureau de monseigneur Picotte.

Jeudi 14 août, 11 h 30

Les formalités sont enfin terminées, et nous sommes sur le point de quitter les lieux quand le grand patron nous fait appeler dans son bureau. Il n'aime pas recourir aux services d'un œil privé, mais c'est nous qui avons mené cette enquête et qui la connaissons le mieux.

— Assoyez-vous, dit-il sur un ton un peu sec, mais il s'adoucit aussitôt. Voici le détective Leclair et le sergent détective Filion, qui vont reprendre l'enquête à compter de maintenant. On a un petit problème et vous pouvez peut-être nous mettre sur la piste. On a retracé la voiture du couple qui s'apprêtait à partir en voyage. On a passé tous leurs bagages au peigne fin et on a retrouvé les pierres de la couronne de Notre-Dame-du-Phare, à l'exception de l'Œil de Colomb.

Tout en parlant, il ouvre un petit coffret sur son bureau et nous laisse entrevoir les magnifiques pierres soigneusement détachées de la couronne toutes plus scintillantes les unes que les autres. À les voir sous la lumière, on croirait qu'elles jouent à qui serait la plus brillante.

— On n'a malheureusement aucune trace de l'émeraude, poursuit-il en refermant le coffret et il n'y a pas moyen de tirer un traître mot de nos deux moineaux à son sujet. Dès qu'il est question de l'œil, on croirait qu'ils ont soudainement avalé leur langue. Avez-vous une idée, un soupçon quelconque, un indice qui pourrait nous aider ?

Sur le coup, je ne vois vraiment pas. Je n'ai pas la tête à ça non plus. Malgré le succès de l'enquête, je me sens un peu débinée d'avoir été bernée par le couple. Cette erreur aurait pu nous coûter cher. Avec beaucoup de chance, nous nous en sommes tirés in extremis. C'est une bonne leçon d'humilité. Dans ce contexte, j'hésite à formuler une hypothèse, quelle qu'elle soit.

J'ai quand même une petite puce qui finit par me chatouiller l'oreille et je m'adresse au chef :

— Vous avez dit que notre couple s'apprêtait à partir en voyage, mais avez-vous une idée de leur destination ?

C'est le détective Leclair qui me répond :

— Ils avaient deux billets pour l'Italie dans leurs valises.

L'Italie, l'Italie, le mot jette une lueur dans mon cerveau obscurci par la fatigue.

Après tout, nous n'étions pas si loin de la vérité. Louis et moi, nous nous regardons et le nom nous échappe dans un synchronisme parfait. Nous avons l'air de deux ahuris quand nous crions à l'unisson :

— Detrousky ! !

— Détrousquoi ? demande le sergent Filion.

Louis entreprend alors de leur expliquer qui est le délégué apostolique et de leur raconter comment nos soupçons ont d'abord porté sur lui. Toutefois, les événements de cette nuit ont remis cette hypothèse en question. Ils semblent le laver de tout soupçon, mais la disparition de l'émeraude renverse la vapeur encore une fois. Est-ce qu'enfin les pièces du casse-tête tomberaient toutes à la bonne place en même temps ? Nous serions en présence de deux escrocs locaux, mère Delacroix et son gardien de nuit, des cambrioleurs de talent, mais sans envergure. C'est Détrousky qui dirigerait toute l'affaire et qui vendrait les trésors volés sur le marché international, profitant de son titre ronflant et de la protection innocente du Saint-Père pour circuler en toute liberté.

— Mais où peut-on trouver ce Détrousky ? demande impatiemment le détective Leclair.

— Justement, il est ici, reprend Louis. C'est même pourquoi nous sommes venus à Saint-Rosaire-de-Grandpré. Un appel au père Bénitier va vous le confirmer.

Sitôt dit, sitôt fait, mais trop tard ! Il a déjà quitté la localité il y a quelques heures. Son départ précipité tend à confirmer notre hypothèse. Quand il a vu que le rosaire n'arrivait pas, il s'est empressé de plier bagages et de fuir au plus vite. À l'heure qu'il est, il est sans doute déjà sorti du pays et on n'a aucune chance de lui mettre la main au collet.

Louis est un éternel optimiste ; voyant la déception générale, il remet tout le monde sur un pied de guerre en déclarant :

— Il ne faut pourtant négliger aucune possibilité, si infime soit-elle... (infime, pas infirme, me dirait sûrement Louis si nous étions entre nous. Ça veut dire toute petite, minuscule...) on n'a absolument rien à perdre, et qui sait, peut-être dans sa hâte a-t-il commis une erreur ? Ou peut-être va-t-il en commettre une ? Nous devons tenter le tout pour le tout !

Il a raison, et les policiers ne peuvent pas être en désaccord avec cette attitude. Ils se mettent donc aussitôt au boulot. Ils préviennent l'aéroport de la ville voisine, la gare routière et celle des chemins de fer, de même que les postes frontières dans un rayon de cent kilomètres. Ils communiquent sur le réseau Internet le signalement probable et tous les renseignements connus à propos de l'abbé Détrousky, qui n'est fiché nulle part dans les dossiers de la police. Plus qu'à attendre et à espérer. Enfin, nous pouvons surtout aller manger !

Jeudi 14 août, 14 h 50

Nous cassons la croûte pendant que le chef de police fait appel à la collaboration du Service de police de la ville voisine, qui dispose d'une force de loin supérieure à celle de Saint-Rosaire, en taille comme en moyens.

Après cet appel, une vingtaine de minutes plus tard, un hélicoptère se pose sur le toit du poste de Saint-Rosaire. L'appareil et son pilote sont à notre entière disposition. Simultanément, un autre officier de police s'occupe de joindre un de ses amis juges afin de lui faire signer le mandat spécial permettant aux douaniers et aux policiers d'ouvrir la valise du « voleur du ciel ». Tout est prêt, il ne manque plus que le voleur...

Jeudi 14 août, 20h45

Le temps passe si lentement quand on attend. Le sommeil m'envahit petit à petit et bientôt, je cogne des clous, assise bien carrément sur ma chaise. J'ai sommeil parce que j'ai trop faim, c'est certain. Le casse-croûte de l'après-midi est déjà loin et la vision d'une poutine italienne suffit à me réveiller... Peut-on en commander une ?

Mon appétit semble contagieux et, bientôt, la bonne humeur générale est de retour. Le repas a été livré et on s'est jeté dessus comme la misère sur le pauvre monde. Nous refaisons nos forces. Les conversations ont repris, l'ambiance est sympathique. Rien de mieux qu'un petit souper improvisé pour ranimer une troupe épuisée !

Une fois rassasiée, je profite de ce moment d'accalmie dans la relative sécurité du poste de police pour aller au rapport avec ma mère. Elle m'a fait promettre de l'appeler le plus souvent possible, même si c'est par l'entremise du répondeur. C'est d'ailleurs encore lui qui me répond, mais j'en déduis qu'elle a été suffisamment rassurée par mes messages précédents pour ne pas chercher à nous joindre. Tout va bien !

Jeudi 14 août, 23 h 50

La soirée est déjà très avancée. Le chef et la plupart des policiers ont quitté le poste, soit pour rentrer chez eux, soit pour faire les patrouilles de nuit. À part quelques policiers et nous, il ne reste qu'un agent confortablement installé à la réception. Un silence inhabituel règne dans la place. Nous sommes toujours dans le bureau du chef et maintenant, nous avons tous recommencé à somnoler sur nos chaises.

L'agent affecté à la réception nage lui aussi dans ces zones brumeuses proches du sommeil quand un inconnu entre en coup de vent et lui braque un pistolet sur le crâne, tout en lui faisant signe de se taire d'un geste sans équivoque. Complètement pris au dépourvu, l'officier n'a d'autre choix que d'obéir. Rapidement, l'homme lui met les mains derrière le dos et l'immobilise avec ses propres menottes.

Nous sursautons comme s'il sortait d'une boîte à surprise quand, sans aucun avertissement, le réceptionniste menotté est poussé sans ménagement dans le bureau du chef. Profitant de la commotion qu'il vient de créer, l'inconnu se précipite derrière ma chaise et me braque son pistolet sur la tête.

— Que personne ne bouge, sinon la fillette est morte, dit-il aussitôt d'une voix forte où perce un accent qui me fait penser à l'Europe de l'Est. Si vous faites ce que je vous dis, il n'y aura pas de problème, mais si vous tentez quoi que ce soit pour m'arrêter, c'est elle qui paiera.

Je me sens toute petite, je n'ose pas bouger, c'est à peine si j'ose respirer. À mon grand étonnement, ma peur passe aussitôt. J'analyse froidement la situation. L'homme au pistolet est calme et en pleine maîtrise de lui-même. Il n'a pas l'intention de me faire du mal, à moins que quelqu'un ne l'énerve et que la situation ne tourne au vinaigre, ce qui ne devrait pas être le cas. Par suite des menaces de l'homme, Louis jette un regard à chacun des policiers présents dans la pièce, regard qui dit clairement :

— Ma fille vaut plus que tous les bijoux du monde, alors faites ce qu'il vous dit !

Puis il se tourne vers l'homme en lui demandant :

— Qu'est-ce qu'on peut faire pour vous, monsieur Détrousky... parce que je devine que c'est bien votre nom, Détrousky ?

— Touché, monsieur le détective, répond l'homme en riant. Vous me donnez bien du mal, vous et votre fille. Je devrais me débarrasser de vous, mais j'aime les adversaires coriaces. Dommage que vous ayez perdu la partie. Alors si vous voulez bien me remettre d'abord vos armes, puis mes charmantes pierres. Je suis persuadé que vous les avez trouvées dans les affaires de mes deux amis et qu'elles sont ici, tout comme le rosaire.

Louis ne prend pas de risque. Avant que les détectives n'aient le temps de lever le petit doigt, il se précipite derrière le bureau du chef. Il a vu ce dernier ranger le coffret après nous avoir montré les pierres et il retrouve facilement la clé qui ouvre le petit coffre-fort dissimulé dans un des tiroirs du meuble. Les pierres et le rosaire sont là. Entre temps, les détectives Leclair et Filion remettent leur pistolet à Détrousky bien à contre-cœur. Leur expression tourne en grimace quand ils voient Louis lui remettre les superbes cailloux précieux, mais dans les circonstances, ils n'osent rien dire.

Le Polonais glisse les armes et les joyaux dans les poches de sa veste, puis il ordonne à tout le monde de se placer en file indienne et de se diriger lentement, les mains sur la tête, vers les cellules du poste de Saint-Rosaire, à l'étage du dessous. Il ferme la marche en me tenant toujours sous la menace de son arme.

Vendredi 15 août, 0 h 35

Pas besoin de nous faire un dessin, Détrousky va nous enfermer, prisonniers derrière nos propres barreaux. Il a bien manigancé son coup. Un vrai professionnel. Par la même occasion, il va pouvoir libérer ses deux comparses toujours détenus au poste.

En arrivant à l'étage des cellules, Filion, pour éviter tout conflit inutile à ce moment-ci, lui indique où se trouve l'armoire contenant les clés. Détrousky fait entrer Louis, les détectives Leclair et Filion, ainsi que l'agent de la réception, toujours menotté, dans la première cellule qui se présente. Il me pousse ensuite à l'intérieur de la suivante et referme la porte sans perdre un instant. Il s'empresse ensuite de libérer ses deux complices et les voleurs s'envolent à toute allure, sans oublier de nous souhaiter une bonne nuit en se moquant joyeusement de nous.

Nous avons connu des moments plus glorieux. Nous nous retrouvons prisonniers du poste de police, piégés, impuissants, pendant que les vilains prennent la fuite. Inutile d'appeler, nous sommes seuls au poste. C'est la deuxième fois en deux jours que Louis et moi sommes mis hors piste par ces bandits. Il ne faudrait pas en prendre une habitude…

Vendredi 15 août, 1 h 15

Enfin, la chance nous sourit. Nous entendons des pas au-dessus de nos têtes. Leclair et Filion se mettent aussitôt à crier comme des perdus.

— À l'aide ! Par ici, en bas, dans les cellules… vite !

C'est le pilote de l'hélicoptère, toujours en attente. Il trouvait le temps long, seul sur le toit, et il a décidé de venir aux nouvelles. Il espérait aussi trouver une tasse de café… Rien à faire pour le café, mais il tombe à pic. Les voleurs ont laissé les clés dans la serrure de la cellule qu'ils occupaient, et cet excès de confiance sera peut-être leur première erreur. Avec les clés, le pilote peut nous libérer.

Grâce à ses bons soins, nous remontons dans le bureau du chef et nous nous remettons aussitôt sur la piste des cambrioleurs. Nous cherchons maintenant non pas une, mais trois personnes. Inutile d'alerter l'aéroport pour l'instant, tous les vols vers l'Europe sont déjà partis à l'heure qu'il est et les prochains ne décolleront qu'en fin de journée.

Notre seule chance demeure les postes frontières les plus près de Saint-Rosaire. Nos voleurs ont sans doute déjà traversé la frontière vers les États-Unis, mais nous n'avons rien à perdre. Nous recommuniquons avec les postes alertés précédemment et nous leur transmettons les nouvelles données.

Puis c'est de nouveau l'attente, aussi endormante qu'interminable...

Vendredi 15 août, 1 h 40

Nous sursautons tous quand le téléphone se met à jouer au réveil. Le sergent Filion saute sur l'appareil comme s'il venait d'entendre un vacarme d'enfer, mais son expression anxieuse tourne vite à la déception.

— Leclair, c'est ta charmante moitié, dit-il sur un ton dépité. Elle veut savoir à quelle heure tu comptes rentrer.

Sans aucune hésitation, le sergent n'attend pas et répond immédiatement pour son subalterne :

— Désolé, madame, il ne le sait pas et il est trop occupé pour venir au téléphone. Il vous rappellera plus tard !

Vendredi 15 août, 2 h 5

Nous sommes tous étonnés et décontenancés de sa réaction, surtout Leclair. Il va protester alors que Filion raccroche, mais à peine ce dernier a-t-il déposé le combiné que la sonnerie se fait entendre de nouveau. Persuadé qu'il s'agit de la même interlocutrice, il répond sans faire le moindre effort pour cacher son impatience et sa mauvaise humeur :

— Bon, quoi encore ? ? ? puis il s'arrête net et devient très attentif.

— Que, quoi... vous dites que vous tenez un trio qui ressemble aux suspects signalés. Quoi, quel problème ? Deux prêtres et une religieuse...

Sans prendre le temps de s'expliquer, Louis arrache littéralement l'appareil des mains de Filion et crie à tue-tête :

— Ce sont eux, bien sûr ! Ne les laissez pas partir ! Où êtes vous ? Où ça ? Au poste frontière de Val-des-Bijoux, dans la région des Bois-Murs. Oui, oui, je sais, vous ne pouvez les garder longtemps sans aucun motif valable. On attend un mandat. Écoutez, inventez n'importe quoi, une panne d'ordinateur, une panne d'électricité, fermez la frontière au complet s'il le faut, mais retenez-les ! Nous serons là dans moins d'une heure.

Le temps que Louis raccroche et nous voilà tous bien réveillés. C'est le branle-bas de combat.

Nous nous précipitons sur le toit où attend l'hélicoptère. Le pilote était déjà remonté depuis un petit moment et en nous voyant arriver, il démarre aussitôt l'appareil. Nous sautons à bord et les portes se referment à l'instant où l'appareil décolle.

Dans les airs, vendredi 15 août, 2 h 20

C'est mon baptême de l'air en hélicoptère, et je n'ai pas assez d'yeux pour tout voir. Nous survolons le Saint-Laurent, laissant derrière nous les lumières de la ville et le pont de la grande île. Je ne veux rien manquer de ce fabuleux vol de nuit, éclairé par tout un troupeau d'étoiles avec à leur tête celle du berger. Je me laisse aller à rêvasser, à scruter le ciel à l'affût d'une improbable étoile filante. J'allais faire un vœu, avec ou sans étoile de toute façon, pour célébrer mon premier vol en hélicoptère, mais trop tard...

Tout se passe si vite, trop vite même. Moins de quarante minutes après le décollage, nous nous posons dans un champ, derrière le poste de douane de Val-des-Bijoux, suffisamment loin pour qu'on ne puisse nous entendre ni nous voir. Le reste du parcours se fait à la course et en silence.

Val-des-Bijoux, vendredi 15 août, 3 h

Leclair et Filion investissent le poste de douane, l'arme au poing, interrompant Détrousky qui joue la grande scène aux douaniers. Feignant l'indignation et la colère, il rugit, pour la dixième fois depuis son arrivée :

— Vous n'avez pas le droit de me garder ainsi Je vais en référer aux plus hautes autorités. Je suis citoyen du Vatican. Je suis délégué officiel de l'Église de Rome. Je vais tous vous faire excommunier et vous irez rôtir en enfer ! ! !

L'entrée des détectives, que Louis et moi suivons à quelques pas en retrait, met fin à sa tirade, au grand soulagement des pauvres douaniers qui sont à bout d'excuses et ne savent plus quel prétexte inventer pour empêcher le trio de passer la frontière.

Vendredi 15 août, 3 h 5

En nous voyant débarquer, Détrousky perd un peu de sa belle contenance. Pendant que Leclair passe les menottes à mère Irène, redevenue religieuse et à son compagnon, qui porte un des costumes du prêtre polonais, Détrousky parcourt rapidement des yeux le mandat que lui tend le sergent Filion.

Détrousky réagit alors avec une étonnante docilité, comme si la fouille n'avait pas la moindre importance. Ce changement d'attitude ne me dit rien de bon. Ce vilain cache quelque chose. Quoi, je m'en doute, mais où le cache-t-il, c'est là la véritable question.

Il tend les clés de sa voiture et celle de la mallette diplomatique aux deux détectives tout en demandant aux douaniers s'ils veulent procéder à une fouille corporelle. Pendant que les douaniers s'acquittent de leur tâche, et que les détectives examinent la voiture sous toutes les coutures, Louis se charge de la mallette diplomatique.

Leclair n'a aucune difficulté à trouver les pierres de la couronne et le saint rosaire dans les bagages de mère Irène. Toujours aucune trace de l'Œil de Colomb, cependant.

Je viens de comprendre le plan de Détrousky. La religieuse et son complice vont écoper pour ces vols, alors que lui se retrouve avec des accusations mineures de menaces et de séquestration, de complicité après le fait peut-être, accusations que le Saint-Siège trouvera bien le moyen de faire annuler. Tout en réfléchissant, je regarde l'homme attentivement.

Vendredi 15 août, 3 h 45

Blond aux yeux verts, d'une bonne carrure, le Polonais semble bien sûr de lui et pas le moins du monde inquiet du résultat de la fouille. Pourtant, s'il quitte le pays, c'est qu'il va vendre l'émeraude à l'étranger. Peu de collectionneurs locaux ont les moyens de s'offrir l'Œil de Colomb et aucun d'entre eux ne voudrait d'une pierre aussi « chaude », comme on dit dans le « milieu ». Il a donc forcément la pierre avec lui.

Je sens l'embrouille, le tour de passe-passe, mais où est l'illusion ?

Voyons, voyons... Quelque chose d'évident m'échappe, mais quoi ? Quand je cherche ses yeux, Détrousky détourne aussitôt la tête. Pourquoi veut-il éviter mon regard ? Pour que ses yeux ne le trahissent pas ? Serait-ce qu'il dissimule l'Œil de Colomb ailleurs que dans sa voiture, ailleurs que dans sa valise de délégué, ce qui voudrait dire sur lui ?

Leclair et Filion reviennent de la voiture de Détrousky tout aussi bredouilles que Louis et les douaniers qui ont fouillé le délégué et ses bagages. La fouille de mère Irène et du gardien de nuit n'a rien donné non plus. Aucune trace de l'Œil de Colomb. Détrousky replace ses affaires dans sa mallette tout en arborant un air narquois, un air qui ressemble à un clin d'œil, un drôle de clin d'œil. On est sur le point de partir quand l'éclair jaillit. Je m'apprête à faire une folle de moi et je prie le ciel d'avoir vu juste, sinon je vais passer un mauvais quart d'heure...

J'y vais. Je plonge ma main dans le gros cendrier à la porte du poste de douane, j'attrape une poignée de sable. Sous les regards incrédules et médusés de tous ceux qui m'entourent, je la lance sans hésiter à la figure de Détrousky. Je me dis :

— Tiens, toi ! Ça vaudra pour l'assaut à la mitraillette et l'attaque sur la route !

J'entends hurler Louis, qui n'en croit pas ses yeux :

— Suzie, qu'est-ce qui te prend ? Tu dérailles, tu es folle ?

Mais je ne m'en préoccupe pas. Mon entière attention est concentrée sur le Polonais, il pousse un cri de douleur tout en se couvrant instinctivement la figure de ses bras, comme pour éviter un autre assaut. Incommodé par le sable, il se frotte vigoureusement l'œil droit... tandis que son œil gauche reste grand ouvert. Il ne cligne même pas. Il n'a jamais cligné !

Je m'exclame aussitôt, à la fois triomphante et soulagée :

— Je le savais. Il porte un œil de verre... un œil d'émeraude devrais-je dire. En fait, il porte l'Œil de Colomb, enrobé de verre !

Leclair et Filion, sortis de leur stupeur, comprennent la situation et s'emparent d'un Détrousky bleu de rage. Finies les menaces de l'enfer ! Ils lui passent immédiatement les menottes. Voilà, mission accomplie.

8. Clin d'œil

Dans les airs, vendredi 15 août, 4 h 20.

Nous pouvons rentrer, l'hélicoptère nous attend pour le retour. À peine assis et nos ceintures bouclées, Louis me pose la question qui lui brûle les lèvres depuis que j'ai enflammé l'œil de Détrousky :

— Comment t'as fait pour deviner où était l'émeraude ?

En entendant la question, les détectives Leclair et Filion, se rapprochent et tendent l'oreille. Ravie d'avoir un auditoire, je réponds en riant :

— Élémentaire, mon très cher père, tout simplement en le regardant dans les yeux. Même s'il fuyait sans cesse mon regard, j'ai pu voir que sa paupière gauche ne bougeait jamais. Il ne clignait que d'un œil, lui dis-je finalement en lui faisant un clin d'œil !

Tout le monde éclate de rire, sauf Détrousky et ses deux complices, qui grognent comme des bêtes enragées, puis se font muets comme des carpes. Plus tard nous apprendrons par Leclair et Filion que les cambrioleurs ont tout avoué, même le nom du collectionneur à qui ils revendaient les objets volés. Cependant, en ce moment, je dois admettre que je m'en moque éperdument. Cette enquête est terminée et nous avons fermé le dossier pour de bon, à la grande joie de tous les intéressés.

Le Troisième Œil peut dormir sur ses deux oreilles !

9. Épilogue

Urbainville, mardi 19 août, 12 h 55

Depuis notre retour de Saint-Rosaire-de-Grandpré, Louis et moi, on s'accorde un repos bien mérité. Profitant des derniers beaux jours de l'été et surtout des rayons de soleil encore chauds, nous nous sommes installés confortablement à la terrasse d'un restaurant. Ma mère, qui s'est fait du mauvais sang pour nous toute la semaine (et pour cause !) s'est jointe à nous. Elle est tout de même contente de mes appels répétés par répondeur interposé. Ils ont eu le mérite de minimiser ses inquiétudes.

Nous savourons tous les trois ce moment de retrouvailles. J'en profite pour déguster devinez quoi ? Eh oui, une délicieuse, délectable, délicate, divine poutine italienne. Pendant ce temps, Louis garnit son club sandwich avec la mayonnaise qu'il tire de son pot caché sous la table. Ma mère mange sa salade dignement en nous regardant comme deux ahuris. Elle n'en revient jamais de nous voir manger. Nous éclatons de rire tous les trois. La vie à repris son cours, quoi !

J'étais très heureuse de revoir ma mère, tout autant que Louis de retrouver sa femme et, pour son bénéfice, on se remémore les meilleurs et les pires moments de notre aventure en territoire religieux. Sauf la fusillade, bien sûr… et les moments les plus risqués de la poursuite en voiture. Nous rigolons comme des fous quand nous sommes soudainement interrompus par un homme aux allures tellement quelconques que nous ne l'avons jamais vu venir.

Il s'assoit à notre table sans qu'on l'invite, en jetant des regards furtifs autour de lui, comme une bête traquée. En même temps, je sens un chat qui vient se frôler sur ma jambe en ronronnant de toutes ses forces. L'ombre d'un quelconque chapeau couvre la moitié supérieure du visage de l'homme et c'est à peine si ses lèvres bougent quand il nous demande :

— C'est bien vous, le Troisième Œil ?

À suivre

TABLE DES MATIÈRES

Achevé d'imprimer
en octobre deux mille cinq, sur les presses
de l'imprimerie Gauvin, Gatineau, Québec